Jonathan Lamb

Prólogo John Stott

INTEGRIDAD

Liderando bajo la mirada de Dios

Ediciones Certeza Unida
Barcelona, Buenos Aires, La Paz, Lima
2010

Lamb, Jonathan
Integridad: Liderando bajo la mirada de Dios. - 1ª ed. - Buenos Aires : Certeza Unida, 2010.
224 p. ; 23x15 cm.

Traducido por: Adriana Powell

ISBN 978-950-683-163-9

1. Liderazgo. I. Powell, Adriana, trad. II. Título
CDD 658.409 2

Título en inglés: *Integrity: Leading with God watching*, publicado por InterVarsity Press, Norton Street, Nottingham NG7 3HR Inglaterra.

Las regalías del autor han sido destinadas de manera irrevocable al ministerio Langham Preaching, un programa de Langham Partnership International.

Salvo que se mencione otra versión, el texto bíblico corresponde a la *Nueva Versión Internacional.*

Traducción y edición: Adriana Powell
Diseño de cubierta: Gabriel Penalva y M. Clara Riccomagno
Diagramación: M. Clara Riccomagno

Ediciones Certeza Unida es la casa editorial de la Comunidad Internacional de Estudiantes Evangélicos (CIEE) en los países de habla hispana. La CIEE es un movimiento compuesto por grupos estudiantiles que buscan cumplir y capacitar a otros para la misión en la universidad y el mundo. Más información en:

Certeza Argentina, Bernardo de Irigoyen 654, (C1072AAN) Ciudad Autónoma de Buenos Aires, Argentina. *certeza@certezaargentina.com.ar*

Ediciones Puma, Av. Arnaldo Márquez 855, Jesús María, Lima, Perú. Teléfono / Fax 4232772. puma@cenip.org, puma@infonegocio.net.pe

Editorial Lámpara, Calle Almirante Grau Nº 464, San Pedro, Casilla 8924, La Paz, Bolivia. *coorlamp@entelnet.bo*

Publicaciones Andamio, Alts Forns 68, Sótano 1, 08038, Barcelona, España. *info@publicacionesandamio.com*

Impreso en Colombia. *Printed in Colombia.*

‘Este libro desafiante y esencial examina las disciplinas y las prioridades imprescindibles para mantener la integridad en la vida cristiana. Es un libro de teología aplicada de ágil lectura.’

Jonathan Aitken
Escritor y locutor, ex Ministro de Defensa en Gran Bretaña.

‘Estoy muy contento de contar con este libro, porque apunta a una necesidad básica en nuestro continente y en el liderazgo dentro y fuera de la iglesia. Después de haber militado en partidos de izquierda durante muchos años, me doy cuenta de que lo más revolucionario en América Latina no es la ideología, ni siquiera el pueblo organizado. Lo más revolucionario en nuestro continente es encontrarme con un líder integro, sea de derecha o de izquierda. En un líder íntegro veo compromiso con la justicia, veo que los pobres y los que sufren son el foco prioritario de sus acciones. Por eso, un libro como este, con este título y subtítulo, me emociona mucho.’

Ziel Machado
Secretario General de la Comunidad Internacional de Estudiantes Evangélicos (CIEE) en América Latina.

‘Un desafío poderoso.’

John Stott
Rector emérito de All Souls Church, Langham Place, Londres.

‘Un libro valiente y profundo que nos anima a todos a ser auténticos y a depender de Dios. Cada persona es líder en algún área, y nada es tan decisivo en el líder como su integridad.’

Paul Valler
Ex Director de Finanzas y Recursos Humanos, Hewlett-Packard Ltd.

Abreviaturas

DHH *Dios habla hoy*, Sociedades Bíblicas Unidas, 1994.

RVR *La Santa Biblia Reina-Valera*, Revisión 1995, Sociedades Bíblicas Unidas, 1995.

NIV *New International Version of the Bible* en inglés (1973, 1978, 1984).

Contenido

Reconocimientos

Dedico este libro con gratitud por su ejemplo, a: George Lamb, Ralph Annear, Philip Levermore, Ben Taylor, John R. W. Stott.

Escribir un libro de esta naturaleza ha sido una experiencia desafiante, ya que en varias ocasiones sentí el calor de la batalla. No sólo en relación a las exigencias de la vida familiar y del ministerio cristiano, sino en relación al tema del que me ocupo. He adquirido una conciencia más plena de la seriedad del llamado a practicar una vida cristiana coherente, especialmente en el caso de aquellos que procuramos enseñar a otros. Santiago 3.1 dice: 'Hermanos míos, no pretendan muchos de ustedes ser maestros, pues, como saben, seremos juzgados con más severidad.' El apóstol luego dice que 'todos fallamos mucho', y reconozco que tuve necesidad de la gracia de Dios y de la ayuda de buenos amigos mientras trabajé en este libro y me vi inmerso en diversas luchas y tentaciones.

Por esa razón, reconozco con gratitud la ayuda de muchas personas que me demostraron solidaridad mediante sus oraciones y su apoyo práctico. Quiero destacar el compromiso de mi esposa Margaret, quien no solo trabajó incansablemente como compañera en la vida y en el ministerio, sino que, mediante la maravillosa combinación de su franqueza natural y su gracia cristiana, es para mí un estímulo permanente a la práctica de una vida íntegra. Su respaldo, su perdón y su confianza han sido factores indispensables para mi trabajo en casa y fuera de casa. También estoy en deuda con un numeroso equipo de fieles compañeros de oración, con amigos y colegas en un grupo de asesoría ministerial, y con dos amigos: Peter Comont y Paul

Johnson, con quienes he podido orar en algunas ocasiones en el contexto de una amistad abierta y leal. Los hijos también tienen una capacidad dada por Dios de sacar a luz la incoherencia y la hipocresía, y reconozco con gratitud la ayuda que recibí, envuelta en calidez y buen humor, de nuestras tres hijas: Catherine, Rebecca y Anna.

Comencé a reflexionar sobre este tema cuando Dan Denk me invitó a dar una serie de conferencias en la consulta de secretarios generales de IFES (Comunidad Internacional de Estudiantes Evangélicos), que se realizó en Holanda en el año 2003. Avancé sobre el mismo material a raíz de una invitación que recibí del doctor Peter Adam para enseñar durante un congreso ministerial en Ridley College, en Melbourne, en 2005. Estoy agradecido por los comentarios perceptivos en ambas audiencias, que me ayudaron a agudizar la reflexión y la aplicación de la misma.

Agradezco sinceramente la paciencia de los editores en IVP, incluyendo a Eleanor Trotter y a Stephanie Heald, quienes cultivaron en mí el don de la perseverancia. Varios escritores influyeron en mi comprensión de 2 Corintios, durante la preparación de una guía para la serie Crossway Bible Guide (*Discovering 2 Corinthians* [Descubriendo a 2 Corintios]) y durante mi investigación para este libro. Si no he logrado hacer el debido reconocimiento a lo largo del texto, con gusto destaco sus obras, y las he incluido en la sección bibliográfica, al final de este libro.

Por último, agradezco al reverendo doctor John Stott por su prólogo. Me siento en deuda con él tanto por la sabiduría y la claridad de sus escritos y de sus prédicas, como por el piadoso ejemplo de integridad y de humildad por el que se lo conoce en todo el mundo. Es un placer mencionarlo, mediante la sencilla dedicatoria del comienzo de este libro, junto a otros cuatro hombres que también han sido un excelente ejemplo.

Jonathan Lamb
Oxford 2006

Prólogo

Integridad, coherencia, sinceridad, honestidad, transparencia, autenticidad y confiabilidad: ¡qué precioso racimo de virtudes cristianas! ¡Cuán trágico que no siempre estén presentes en el pueblo de Dios!

Sin embargo, mi amigo y colega Jonathan Lamb sale en busca de ellas mediante su hábil estudio analítico de la 2ª Carta de Pablo a los Corintios.

La integridad es una cualidad de las personas íntegras, aquellas en las cuales no hay una dicotomía entre la vida pública y la privada, entre lo que creen y lo que practican, entre sus palabras y sus obras. Es una cualidad indispensable en los líderes, y también en los evangelistas. John Poulton (ex asesor en evangelismo en la Iglesia Anglicana) escribió:

> El testimonio más efectivo es el de aquellos que encarnan lo que dicen. Ellos *son* el mensaje. Los cristianos deben mostrar aquello de lo cual hablan … La comunicación más efectiva es la evidencia de la autenticidad personal.[1]

Pero Jonathan Lamb hace algo más que desafiarnos a un estilo de vida íntegro; también nos señala el camino al recordarnos que daremos cuentas a Dios, quien nos mira, se interesa y juzga.

John Stott
12 Junio 2006

LIDERAZGO
E INTEGRIDAD

01 Por qué es importante la integridad

Recientemente el *Times* de Londres incluyó una noticia menor, que por alguna razón había llegado a los diarios internacionales. Era la historia un tanto deprimente de un conductor de camiones que había perdido su empleo. ¿Por qué razón? Porque conducía camiones de la empresa Coca-Cola, pero insistía en beber Pepsi durante las horas de trabajo. En consecuencia, lo despidieron. Tal vez te parezca un poco injusto. Por supuesto, si hubiera sido el gerente ejecutivo y lo hubieran encontrado con un fardo de seis latas de Pepsi bajo el escritorio, hubiera sido más grave. En la actualidad, en el marco del nuevo estilo de administración empresarial, la coherencia es importante. Entre los seis principios básicos para los administradores, Charles Handy, el gurú de las empresas, incluye el siguiente: 'El líder debe encarnar la visión'. No solo tiene la responsabilidad de dar forma a los postulados de misión y visión, sino que debe encarnarlos.

Tenemos una expectativa similar hacia los políticos. En general desconfiamos de los programas políticos y de las declaraciones; y cuando observamos que no se producen cambios genuinos, nos volvemos cínicos. Son muchos los políticos de quienes se sospecha componendas, corrupción o falta de integridad. Conocemos los casos, porque casi todas las semanas aparecen en el diario:

primeros ministros que traicionan a su esposa y mantienen un romance con sus secretarias; funcionarios que supuestamente venden privilegios a personas pudientes que respaldan al partido político; diputados que se presentan como hombres felizmente casados, pero que esconden sus vínculos homosexuales; y hasta políticos que hacen alarde de ser ecológicos, porque caminan hacia su trabajo, mientras algún asistente conduce la limusina a una distancia discreta, donde el funcionario lleva su ropa de etiqueta y su maletín (actitud que los diarios denuncian como 'hipocresía ambiental'). Y podríamos continuar.

Los periódicos no solo dedican mucho espacio a los políticos corruptos sino también a los clérigos que malversan los fondos de la iglesia o que huyen con su secretaria. Esas historias venden porque son muestras descaradas de hipocresía. Es verdad que también tienen un matiz lascivo, pero es comprensible que la gente de la calle reaccione cuando huele el engaño religioso o la doble vida, en especial cuando se trata de religiosos o de políticos que se consideran con derecho a decirles a los demás cómo deben vivir.

Como cristianos sabemos que debemos mantener nuestra casa en orden. Estamos familiarizados con las caídas de líderes en la iglesia. Nos da temor la manera en que lo que vivimos desmienta lo que predicamos. Un estudio reciente del Centro de Investigaciones Religiosas en Princeton demostró que, en forma paralela a cierto grado de incremento en la asistencia a la iglesia durante los últimos diez años en los Estados Unidos, hubo también una notable disminución del número de cristianos profesantes convencidos de que hubiera algún vínculo entre cristianismo y moralidad. Como lo expresó un escritor: 'Buena parte del cristianismo norteamericano está transformándose en mero paganismo: un pagano puede ser sumamente religioso sin que esto suponga compromiso alguno en cuanto a su ética, su moral, su entrega sacrificada o su integridad.'[1] Las encuestas encuentran poca diferencia en la conducta de los cristianos antes y después de su experiencia de conversión, aun entre los que se mencionan como 'nacidos de nuevo'. 'En tres categorías fundamentales: consumo de sustancias ilegales, conducir un vehículo bajo efectos de intoxicación e infidelidad matrimonial, la conducta en realidad se deteriora después de tomar un compromiso con Jesucristo ... Los estudios recientes también indican que el índice de divorcio [en Estados Unidos] es en realidad más alto entre quienes se identifican como cristianos evangélicos que en la población general.'[2] Si bien es posible que las estadísticas estén más disponibles en los Estados Unidos, probablemente esta sea la tendencia global. Conocemos bien el daño causado por la falta de coherencia de pastores y de líderes que convocan a la gente a vivir de acuerdo con los valores de Dios, mientras ellos mismos viven una mentira. Sabemos que esconden ese lado.

Batallamos con nuestras incoherencias y fallas secretas.

Sin embargo, también conocemos nuestro propio corazón. Me resultó doloroso escribir el párrafo anterior porque somos conscientes del daño provocado a individuos, a familias y a comunidades, y en especial la deshonra del nombre de Cristo. Pero también es doloroso observar las evidencias de falta de integridad en nuestra vida. Sabemos lo vulnerables que somos en el desempeño del servicio cristiano cuando tomamos responsabilidad por el bienestar de otros, cuando enseñamos los principios de Dios, cuando se nos conoce en el lugar de trabajo como cristianos consagrados, a la vez que batallamos con nuestras incoherencias y fallas secretas. En la investigación que realizó Mark Greene para el Instituto de Cristianismo Contemporáneo, en Londres, entre los cinco problemas principales que los cristianos enfrentan en sus lugares de trabajo el ítem 'mantener integridad cristiana' apareció en segundo término, después del 'estrés'.

Observa tu vida

El llamado reiterado de las Escrituras es que vivamos conforme al valor de nuestro llamamiento. Como escribió el apóstol Juan: 'El que afirma que permanece en él, debe vivir como él vivió' (1 Juan 2.6). Habla de una fe que funcione, una verdad en acción, una piedad visible en la vida cotidiana. Por supuesto, los primeros cristianos no podían permitirse una vida incoherente. Cuando leemos el Nuevo Testamento observamos que hay una estrecha relación entre la santidad y la misión. La iglesia primitiva estaba bajo observación. Su manera de vivir, su trabajo, su familia, sus valores, sus reacciones ante las pruebas... durante el primer siglo todo debía respaldar el mensaje radical que presentaban.

Pablo también era agudamente consciente de los riesgos que corrían los líderes cristianos. Cuando habló con los ancianos de Éfeso, enfatizó: 'Tengan cuidado de sí mismos y de todo el rebaño sobre el cual el Espíritu Santo los ha puesto como obispos para pastorear la iglesia de Dios, que él adquirió con su propia sangre' (Hechos 20.28). Le dijo lo mismo a Timoteo: 'Que nadie te menosprecie por ser joven. Al contrario, que los creyentes vean en ti un ejemplo a seguir en la manera de hablar, en la conducta, y en amor, fe y pureza ... Ten cuidado de tu conducta y de tu enseñanza. Persevera en todo ello, porque así te salvarás a ti mismo y a los que te escuchen' (1 Timoteo 4.12, 16). En ambas exhortaciones la secuencia es importante: en primer lugar obsérvate a ti mismo, observa tu vida, tu piedad, tu salud espiritual.

Sin duda, Pablo sentía temor del peligro potencial de estar ayudando a otros y sin embargo enfrentar él mismo un naufragio (1 Corintios 9.27), y por lo tanto se imponía una autodisciplina rigurosa, para no correr el riesgo de quedar 'descalificado'. Lo que Pablo escribe es cosa seria, en particular debido a las tentaciones que enfrentan los líderes. Calvino, el gran reformador y pastor, dijo que una estrategia característica de Satanás es la de 'buscar alguna falla en el comportamiento de los ministros, que acarree deshonra al evangelio’.

El llamado a la integridad

En todos los niveles de la sociedad podemos encontrar una alta expectativa de integridad en el liderazgo, sea del ambiente empresarial, político o religioso. No debería sorprendernos que sea un valor importante en las instituciones. En su libro *Transforming Leadership* [Liderazgo transformador], Richard Higginson menciona las declaraciones de misión de algunas empresas muy conocidas:

- La integridad no se negocia. La gestión de nuestra compañía en todo el mundo debe evidenciar responsabilidad social, y debe valorar la integridad y la contribución positiva a la sociedad (Ford Motors).
- Las compañías de Shell subrayan la honestidad y la integridad en todos los aspectos de su negocio.
- Manejamos nuestra empresa con una integridad que no tiene concesiones. Esperamos que el personal en todos los niveles adhiera a los valores más elevados de la ética empresarial, y deberán entender que no se aceptará ningún comportamiento por debajo de esa expectativa (Hewlett Packard)[3].

La integridad también es altamente valorada por los empleados. La investigación empresarial ha demostrado que, cuando se pregunta a los empleados qué es lo que más admiran en sus líderes, la integridad es una de las tres características más nombradas. Para la mayoría de los empleados esto significa ser honesto; quieren que el jefe sea recto en su trato con las personas. También significa ser coherente. Los líderes comerciales, políticos o religiosos no deberían decir una cosa un día y otra completamente diferente al día siguiente.

En un capítulo sobre la integridad que Margaret Thorsborne escribió para el libro *The Seven Heavenly Virtues of Leadership* [Las sietes virtudes celestiales del liderazgo], la autora informa sobre una encuesta realizada en instituciones de variado tamaño, en Queensland, Australia, entre un grupo amplio de personas: CEOs, gerentes principales e intermedios y empleados, además de sus familias. Cuando se les pidió que describieran a la persona que consideraban poseedora de integridad, utilizaron las siguientes palabras:

- fortaleza de carácter
- firmeza, decisión, fibra
- cumplir lo que dice, hacer lo que promete
- auténtico, franco, lo que hay en su interior es lo que se ve en lo exterior
- abierto, sincero y directo en su trato con los demás
- de valores transparentes y sin concesiones, seguro de lo que es correcto o incorrecto
- comprometido, valiente en sus convicciones
- su comportamiento es coherente con sus valores
- guiado por principios, respetable, imparcial, rinde cuentas, responsable
- equilibrado, armonioso, integrado
- consciente de sí mismo, capaz de autoevaluarse
- sabio y maduro

Pero otro aspecto notable de su investigación fue que los que respondieron a la encuesta solo podían mencionar a un puñado de personas, quienes, en su opinión, 'lucían esas cualidades'. En contraste, no tenían ninguna dificultad para recordar ocasiones en que la integridad estaba ausente. Aquel estudio indicaba que en cualquier comunidad en la que falta integridad, la tragedia principal es la pérdida de la confianza.[4]

Esta es una mala noticia para las empresas, por supuesto, porque buscan que la gente confíe en ellas. Quieren que los clientes tengan la confianza de que el producto cumpla con lo que dice la etiqueta. Y reconocen que la integridad es imprescindible para que la organización funcione de manera correcta. Como veremos en el capítulo 7, la confianza es fundamental en todas las comunidades.

La naturaleza de la integridad

Por un lado, integridad puede aludir a un estado de armonía, de plenitud. En una zona propensa a los terremotos, se controla a los edificios para evaluar la integridad estructural y asegurar que todas las partes todavía coincidan entre sí de la manera en que deben hacerlo. Una definición de la palabra 'integral' es 'esencial o necesario para la plenitud; un todo; completo; perfecto; sin averías; entero'. En ese sentido, sugiere una vida bien integrada. Hay coherencia entre los diferentes ámbitos de la vida de una persona. El sistema de valores que profesamos afecta cada área de nuestra vida pública y privada. Hay una relación estrecha entre nuestra personalidad y nuestro estilo de vida. El Antiguo Testamento utiliza el término *shalom* para expresar que una vida completa tiene esta cualidad de coherencia y armonía, por lo cual algunos comentaristas sugieren que la palabra 'integridad' puede ser una traducción alternativa apropiada.

Pero integridad tiene un significado adicional, que es más frecuente en las conversaciones cotidianas. Utilizamos esta palabra para describir la solidez en el sentido de veracidad y moralidad. Ser íntegro significa que somos rectos, honestos y sinceros. Se puede confiar en nosotros porque hay coherencia entre lo que decimos, nuestro carácter, y nuestros actos. Esta es la expresión visible de la integridad interior.

En las primeras páginas del Antiguo Testamento, cuando Dios confirma el pacto con su pueblo, el Señor llama a Abram a vivir de una manera que sea coherente con lo maravilloso de esa relación especial. 'Cuando Abram tenía noventa y nueve años, el SEÑOR se le apareció y le dijo: —Yo soy el Dios Todopoderoso. *Vive en mi presencia y sé intachable.* Así confirmaré mi pacto contigo, y multiplicaré tu descendencia en gran manera' (Génesis 17.1–2, énfasis agregado).

- En primer lugar, el Señor lo llama a ser 'intachable', un término que significa 'completo' o 'íntegro'. Abram y todos los que pertenecen a Dios deben vivir de todo corazón para Dios y respaldar su compromiso con él mediante una completa integridad. Cuando se usa la misma palabra hebrea para describir a un animal, se traduce 'sin mancha'. Para los hijos de Dios elegidos por el Dios Todopoderoso, es un llamado a vivir en santidad y consagración a él en todas las áreas de la vida.
- En segundo lugar, Abram debe vivir de manera íntegra en la 'presencia' del Señor. No debe esconder nada, porque nada puede esconderse de la presencia de Dios. Se trata de una vida que transcurre bajo la mirada de Dios.
- En tercer lugar, esto no es algo que se alcance de manera instantánea. Dios ordena: 'Anda delante de mí y sé perfecto' (RVR). Se trata de un compromiso de por vida, de una manera coherente de vivir a lo largo del prolongado peregrinaje del pueblo de Dios.

El texto de Génesis encierra los temas de los que nos ocuparemos en este libro. Como hijos de Dios, debería haber una relación obvia entre nuestro llamamiento y nuestro estilo de vida. Él nos eligió y nos incluyó en su familia, y debemos mostrar los rasgos de familia y vivir de una manera digna de nuestro llamado.[5] Nuestra vida debe ser 'intachable', una vida de integridad moral y de consagración sincera. Es el tipo de vida que David describe en su oración: 'Yo sé, mi Dios, que tú pruebas los corazones y amas la rectitud. … Señor, Dios de nuestros antepasados Abraham, Isaac, e Israel, conserva por siempre estos pensamientos en el corazón de tu pueblo y dirige su corazón hacia ti' (1 Crónicas 29.17–18). Ambas citas del Antiguo Testamento enfatizan el ambiente en el cual vivimos. En Génesis 17 Dios declara que es 'en mi presencia'; y en Crónicas 29 leemos que él 'prueba los corazones'. Ser íntegros es vivir de manera intachable bajo la mirada de Dios.

Vive en mi presencia y sé intachable.

Génesis 17.1

Una vida en sintonía

Quizás podemos decir, entonces, que ser íntegro significa mantener coherencia en todas las áreas de la vida. Es probable que hayas visto informes en la televisión en los que el sonido y la imagen estaban 'fuera de sintonía'. Nos es difícil tomar la noticia en serio, mientras nos esforzamos por combinar lo que oímos con el rostro que gesticula en la pantalla. Eso es lo que destruye la credibilidad de un líder. Cuando la vida del líder no es coherente con lo que dice, dejamos de escucharlo. No podemos tomarlo en serio.

En su libro *Leadership Jazz*, Max DePree, un cristiano que se ha desempeñado en los niveles más altos en el ámbito empresarial, escribe acerca de su nieta Zoe:

> Nació prematuramente y pesaba poco más de medio kilo, al punto de que yo podía deslizar mi anillo de casamiento por su bracito hasta el hombro. El neonatólogo que la examinó en el primer momento nos dijo que tenía entre 5 y 10% de posibilidades de llegar a vivir tres días… Para complicar el asunto, el padre biológico de Zoe se había marchado un mes antes del nacimiento de la niña. Una enfermera sabia y protectora, de nombre Ruth, me dio la siguiente

> instrucción: 'Durante por lo menos varios meses, usted será el padre sustituto. Quiero que venga todos los días a visitar a Zoe, y le pido que masajee su cuerpo, sus brazos, y sus piernas con la yema de su dedo. Mientras la acaricia, dígale una y otra vez cuánto la ama, porque ella necesita vincular su voz con su tacto.'

De esa experiencia, DePree toma una lección para todos los líderes: 'En la esencia de un líder está la necesidad de vincular siempre la voz y el contacto.'[6]

Cuando los líderes, en cualquier nivel en que se desempeñan, dejan de vivir con integridad, la 'lluvia radioactiva' es mortal. Envenena la comunidad, destruye la confianza, devasta la unidad y la coherencia de la misión, y, lo que es más grave, traiciona la causa del evangelio de Cristo y deshonra al Dios a quien servimos. Por el contrario, cuando los líderes cristianos practican lo que declaran, mantienen sus promesas, y sirven a su comunidad (en pocas palabras, cuando nos muestran a Jesucristo), entonces la comunidad cristiana se fortalece y avanza en su misión. Por nuestra experiencia sabemos que casi toda la gente respeta y admira la integridad cuando tiene oportunidad de verla. Sin ninguna vacilación, aseguramos que esta sola cualidad, entendida correctamente y practicada con fidelidad, puede transformar el trabajo de los líderes, fortalecer el trabajo de las iglesias y de las organizaciones, y respaldar nuestro testimonio cristiano. Por eso me entusiasma tanto, y anhelo desarrollarla cada día más.

Pero permíteme ser claro. Si bien es posible que yo sea un líder respetado y un miembro fiel de la iglesia, conozco mi capacidad para engañarme a mí mismo y a otros. Soy plenamente consciente de mi lucha en contra de actitudes y comportamientos no compatibles con mi fe cristiana, de mis fallas en el hogar, de mi doble mensaje como predicador, de mi precaria consagración como adorador, de mis pasos vacilantes como discípulo del Señor Jesús. En respuesta al llamado de Dios, de vivir de manera intachable, camino cojeando con lentitud. Ante la mirada de Dios, con frecuencia me siento avergonzado y admito que necesito ayuda. Pero por su misericordia, por medio de su Palabra y de su Espíritu, estoy encontrando la gracia del perdón y el estímulo para seguir avanzando.

Uno de los ejemplos de integridad más positivos y pertinentes que encontramos en las Escrituras es el de la vida y el ministerio de apóstol Pablo. Su modelo de liderazgo es contracultural, tanto en el primer siglo como en la actualidad. Hubo una gran variedad de situaciones en las que el carácter y el liderazgo de Pablo fueron probados de manera extrema. Por ese motivo, tomaremos buena parte de nuestros argumentos acerca de la integridad cristiana de su segunda carta a los creyentes en Corinto. Esta epístola es considerada por muchos como una de las cartas más personales y transparentes que tenemos en la Biblia. Explorarla es como meternos en la piel de Pablo. Vemos allí su pasión y su frustración, sus convicciones y su estilo de liderazgo. Su carta ofrece un panorama extraordinario sobre las tensiones y las alegrías del servicio cristiano.

Cuando responde a las críticas arrojadas contra él por la congregación de Corinto, cuando confronta a los 'superapóstoles' infiltrados en la iglesia, cuando administra las finanzas de manera transparente, cuando expone su lucha personal contra las debilidades, el orgullo o la oposición continua, Pablo era plenamente consciente del llamado de Dios: 'Vive en mi presencia y sé intachable.' Una y otra vez subraya que sus palabras, sus actos y sus actitudes están bajo la mirada de Dios y serán juzgadas por él. Pablo vive delante de Dios y lo invoca como su testigo. Pablo nos ayuda a comprender que ser íntegro significa liderar bajo la mirada de Dios.

02 El perfil de la integridad

El ex presidente de la Unión Soviética, Mikhail Gorbachev, presentó sus reformas económicas bajo el lema de *perestroika*. En un libro que lleva ese título, Gorbachev definió ese concepto como 'la unidad entre palabras y obras'. Le interesaba asegurar que los programas políticos se tradujeran fielmente en la realidad económica, y que la población, cansada después de décadas de promesas no cumplidas, se convenciera de ese programa de reforma práctica. Tenía entre manos un enorme desafío.

Por una parte, los habitantes de los países comunistas se burlaban con frecuencia por la contradicción tan visible, y en general hacían uso de uno de los pocos medios seguros: el de las bromas. En un artículo reciente sobre el humor comunista, Ben Lewis explicaba que esas bromas 'nacían en el absurdo de un sistema que abría un abismo cada vez más grande entre la propaganda y la experiencia cotidiana'. Por ejemplo, una broma típica que podía escucharse en la República Democrática de Alemania, en el campo de la electrónica, era: 'Se celebra el reciente logro de la empresa electrónica Robetron, en Alemania Oriental: han diseñado el microchip más grande del mundo'.[1]

Ya hemos dicho que se produce la misma brecha de credibilidad en la vida de la iglesia que en el mundo de la política y de la empresa. La necesidad de que vivamos con integridad surge del hecho de que fuimos llamados por un Dios fiel. Su carácter revela fidelidad y misericordia, gracia y verdad, amor y luz. Si lo hemos conocido, entonces estamos llamados a mostrar esas mismas cualidades, a caminar de una manera digna de nuestro llamamiento, a vivir en coherencia con su carácter. En este capítulo observaremos de qué manera se ocupa Pablo de hacer este vínculo de modo intencional.

¿Era incoherente Pablo?

Los corintios tenían grandes sospechas acerca de las cualidades de Pablo en el liderazgo. En los capítulos que siguen descubriremos que se lo criticaba por una variedad de asuntos, pero la carta comienza con la crítica de que aparentemente rompía las promesas y cambiaba los planes. Se lo acusaba de que no podía ser confiable, de que prometía una visita pero no aparecía. Se lo acusaba de usar artimañas y de no ser sincero: en lugar de ser transparente, se mostraba evasivo.

A primera vista podría parecer extraño que las Escrituras inspiradas dedicaran tiempo a cuestiones en apariencia tan terrenales, como los planes de viaje de Pablo y su tarea de escribir cartas. Pero como veremos, aunque esas cuestiones parezcan simples y corrientes, reflejan una actitud y un estilo de vida. Resultaban decisivos no solo en términos del liderazgo y la credibilidad de Pablo como apóstol, sino también en relación con el mensaje del evangelio que él proclamaba.

Su relación con los corintios nos ayuda enormemente a comprender el tema de la importancia de liderar con integridad. El liderazgo es básicamente una relación de confianza. La credibilidad es fundamental.

Pablo había trabajado en Corinto durante alrededor de un año y medio, y siendo su pastor había cultivado intimidad con ellos. Se sentía orgulloso de ellos, de la manera en que un padre se siente orgulloso de sus hijos. Pero en la iglesia estaban sucediendo cosas que no eran dignas de una comunidad cristiana, de modo que Pablo también debió expresarles un reproche. Tuvo que escribirles en términos bastante severos. Cualquier persona comprometida con la disciplina de la iglesia sabe que esta tarea es a menudo tremendamente costosa en términos de nuestro capital emocional. No cabe duda que los corintios sintieron el peso de la disciplina. Pero en cuanto a Pablo, el ejercerla tuvo un alto costo, como podemos verlo en el tono de sus expresiones a lo largo de esta carta. Por supuesto, tenía la esperanza de que finalmente fuera restaurada la calidez y la intimidad de la comunión con ellos.

Lamentablemente, eso no ocurrió. Llegó a la ciudad un grupo de personas que hizo todo lo que estaba a su alcance para socavar la autoridad de Pablo. Iniciaron una campaña de difamación, y arrojaron dudas sobre sus credenciales como líder. Este es un tema recurrente en la carta, y veremos que buena parte de lo que Pablo escribe tiene el propósito de encarar la maliciosa influencia de esos intrusos. Los corintios no se mostraron dispuestos a escuchar la reprimenda de Pablo y en cambio prefirieron aceptar a los críticos recién llegados. Sucumbieron ante la retórica persuasiva, y obviamente comenzaron a dudar de la calificación de Pablo como apóstol y de su integridad como líder. En esta atmósfera, Pablo se sentía vulnerable a la crítica de los corintios; y cuando estos se enteraron de su decisión de cambiar de itinerario, esa fue la chispa que encendió la hoguera.

Para socavar la autoridad de Pablo, arrojaron dudas sobre sus credenciales como líder.

¿Qué había detrás de esto? Pablo les había dicho a los corintios que los visitaría dos veces durante su próxima gira por Grecia, pero luego cambió sus planes. Como veremos, la decisión nacía de sus buenas intenciones; pero les dio a los corintios la excusa para levantar un aluvión de críticas hostiles, a las que Pablo responde en esta carta.

En el capítulo 1 ya destacamos el hecho de que en toda comunidad la confianza es un factor fundamental. Profundizaremos este tema en el capítulo 7, pero digamos que fue la primera avería en la relación de Pablo con los corintios. Argumentaron que Pablo no era un líder en el que se pudiera confiar. Engañaba. Hacía grandes promesas pero no las cumplía. Era incoherente y poco confiable; hoy tomaba una decisión y mañana la cambiaba. Es fácil imaginar de qué forma esa crítica fue creciendo en intensidad, especialmente bajo la influencia de los visitantes, más que dispuestos a alimentar esa traición.

Además de esas críticas, a lo largo de la carta percibimos una acusación subyacente que a Pablo le habrá resultado muy difícil encarar. Se trataba de la insinuación de que en realidad no se interesaba por ellos. Algunos de los corintios seguramente habían interpretado que la combinación entre una severa carta de reproche y la cancelación de la visita prometida, era evidencia de que ya no los amaba. Si se comportaba de esa manera, sin duda no era un verdadero apóstol, genuinamente interesado por sus iglesias. Los versículos que siguen resultan particularmente útiles para comprender qué era lo que motivaba a Pablo como líder. Enfatizan tres cualidades esenciales de la integridad.

La sinceridad: una motivación pura

> Para nosotros, el motivo de satisfacción es el testimonio de nuestra conciencia: Nos hemos comportado en el mundo, y especialmente entre ustedes, con la santidad y sinceridad que vienen de Dios. Nuestra conducta no se ha ajustado a la sabiduría humana sino a la gracia de Dios.
>
> 2 Corintios 1.12

El tema del alarde es prominente en 2 Corintios, y sin duda era una actitud en la que los rivales de Pablo tenían experiencia. Pablo detestaba alardear acerca de sus logros, pero este pasaje subraya lo que él consideraba de fundamental importancia en su ministerio. Es significativo que se exprese de manera tan directa sobre su integridad, casi como si se tratara de un asunto de orgullo personal.

Pablo escribe que su relación con ellos está marcada por las cualidades piadosas de santidad y sinceridad. Debido a que hay variaciones entre los manuscritos, en algunos casos aparece la palabra 'simplicidad' en lugar de 'santidad', y aquella palabra parece la más probable en el contexto. Enfatiza que es franco, decidido. Esta actitud es la opuesta de alguien que usa artimañas o engaños. Es una de las cualidades atractivas en los niños cuando interactúan con sus padres de manera espontánea, desafectada. No se muestran complicados sino directos, transparentes. Pablo les dice a los corintios que esa es la manera en que trata con ellos.

> ***Nosotros no somos de los que trafican con la palabra de Dios.***
>
> **2 Corintios 2.17**

Al hablar de sinceridad, Pablo expresa que sus motivaciones son puras, no mezcladas. Más adelante nos ocuparemos nuevamente de esta palabra, porque Pablo la utiliza en relación con su ministerio: 'A diferencia de muchos, nosotros no somos de los que trafican con la palabra de Dios. Más bien, hablamos con sinceridad delante de él en Cristo, como enviados de Dios que somos' (2.17). Todo está sobre la mesa. Él ha actuado de una manera directa, sin enredos.

¿Cómo pudo ser tan coherente? Esas cualidades, dice en 1.12, provienen de Dios, y él las ha usado conforme 'a la gracia de Dios'. Por eso está en condiciones de alardear con humildad y no con una actitud de autosatisfacción. No toma crédito para sí mismo. Sólo Dios puede producir en nosotros esta integridad. Este es uno de los muchos estímulos que necesitamos escuchar. Leer un libro sobre la integridad podría inducirnos una buena cantidad de culpa o de pánico. Podríamos sentir que es algo fuera de nuestro alcance. Sin embargo, es solo por la gracia de Dios que comenzamos a reflejar su carácter. Él nos provee lo que necesitamos para vivir como lo requiere el evangelio de la gracia.

Las cualidades de transparencia, apertura, franqueza, y sinceridad piadosa son esenciales para liderar con integridad. Con demasiada frecuencia el estilo del liderazgo huele a manipulación, a intriga política, a intenciones escondidas. Son precisamente estas actitudes las que han provocado que el público se desilusione de los políticos y de la gran empresa, y, tristemente, también de la iglesia como institución. A Pablo se le estaba adjudicando esa clase de manipulación y engaño. Puede percibirse ese clima por la manera en que más tarde reaccionó al escribir su carta.

- 'Hemos renunciado a todo lo vergonzoso que se hace a escondidas; no actuamos con engaño' (4.2).
- 'Hagan lugar para nosotros en su corazón. A nadie hemos agraviado, a nadie hemos corrompido, a nadie hemos explotado' (7.2).
- 'Tales individuos son falsos apóstoles, obreros estafadores, que se disfrazan de apóstoles de Cristo. Y no es de extrañar, ya que Satanás mismo se disfraza de ángel de luz. Por eso no es de sorprenderse que sus servidores se disfracen de servidores de la justicia. Su fin corresponderá con lo que merecen sus acciones' (11.13–15).
- '¿Acaso los exploté por medio de alguno de mis enviados?' (12.17).

En contraste con los falsos apóstoles, a quienes Pablo describe como expertos en el engaño y en la falta de sinceridad, él no era culpable de acciones injustas ni de usar su posición para manipular o explotar a otras personas. Es bueno que reflexionemos en nuestra propia inclinación a abusar de la posición o responsabilidad que ocupemos. Esta conducta puede presentarse en una variedad de maneras. Por ejemplo:

- romper la confidencia y hablar con otros acerca de una tercera persona;

- decir falsedades acerca de otros en informes o conversaciones;
- generar desconfianza;
- retener información;
- usar el dinero como una palanca.

En el capítulo 1 de su carta Pablo se muestra firme al declarar que tiene la conciencia limpia; sus motivaciones, sus actitudes y su comportamiento están a la vista; actúa con franqueza, con transparencia, y con sinceridad piadosa. Su reacción echa luz sobre una segunda cualidad personal.

La coherencia: vivir en integridad

Para comenzar, Pablo es coherente en cualquier contexto. Produce intriga el que nos mencione: 'Para nosotros, el motivo de satisfacción es el testimonio de nuestra conciencia: Nos hemos comportado en el mundo, y especialmente entre ustedes, con la santidad y sinceridad que vienen de Dios. Nuestra conducta no se ha ajustado a la sabiduría humana sino a la gracia de Dios' (1.12). Su conducta es la misma en el mundo en general y en la iglesia. Pablo no es una persona en relación con los incrédulos y otra con los cristianos. Me pregunto si podríamos decir eso de nosotros mismos…

En una ocasión leí una noticia interesante donde se describía el arresto de un empresario alemán: "Heinrich K, de Frankfurt, ha sido sentenciado con diez meses en suspenso y multado por 1.500 marcos por agredir a un policía de tránsito. '¡Esto es para ti!,' gritó Heinrich, mientras daba un puñetazo en la cara al policía, cuando este se negó a retirar la boleta de infracción porque el vehículo estaba estacionado de manera ilegal. Heinrich es consejero en el tratamiento de la ira."

¿Soy yo una persona diferente en mi hogar de la imagen que doy en el lugar de trabajo? ¿Soy una persona en el trabajo, y otra en la iglesia? ¿Me comporto de una manera en la habitación de un hotel, en la oficina pública, en la congestión de tránsito, y de una manera diferente cuando subo al púlpito? Pablo declara que se propone vivir de una manera completamente coherente: 'Para nosotros, el motivo de satisfacción es el testimonio de nuestra conciencia: Nos hemos comportado en el mundo, y especialmente entre ustedes, con la santidad y sinceridad que vienen de Dios. Nuestra conducta no se ha ajustado a la sabiduría humana sino a la gracia de Dios.' (1.12).

¿Soy una persona en el trabajo, y otra en la iglesia?

En segundo lugar, es coherente en lo que comunica, sea en forma oral o escrita. Como dice en el versículo siguiente: 'No estamos escribiéndoles nada que no puedan leer ni entender. Espero que comprenderán del todo, así como ya nos han comprendido en parte' (1.13–14).

Enfatiza este concepto al declarar que, así como no es culpable de mantener un doble juego de valores en su comportamiento, tampoco es culpable de un doble mensaje en sus escritos. Está convencido de lo que dice, y dice aquello de lo cual esta convencido. No tiene la intención de ocultar ni de engañar. No es como aquella persona que escribió una referencia para un empleado que aspiraba a otro empleo: buscando qué decir, el empleador escribió: 'Si usted lo conociera de la forma en que yo lo conozco, se sentiría hacia él de la misma forma en que yo me siento.'

Los críticos de Pablo en Corinto se comportaban de manera bastante similar, como podemos verlo en el capítulo 10: "Pues algunos dicen: 'Sus cartas son duras y fuertes, pero él en persona no impresiona a nadie, y como orador es un fracaso.' Tales personas deben darse cuenta de que lo que somos por escrito estando ausentes, lo seremos con hechos estando presentes" (10.10–11). La conducta y los escritos de Pablo no eran ambiguos. No tenía segundas intenciones. No era necesario leer entre líneas, porque su mensaje era directo y confiable. Pablo es un claro ejemplo de cómo debe vivir un cristiano, con sinceridad y coherencia.

En tercer lugar, es coherente en sus prácticas. Nos enteramos de esto a medida que avanza la epístola y describe la forma en que se coordinó la colecta de ofrenda, que es el tema que domina los capítulos 8 y 9 de 2 Corintios. La manera en que Pablo administra el dinero es un asunto decisivo. Es una puesta a prueba de la integridad y la coherencia, y le dedicaremos tiempo en el capítulo 9 de este libro. Por el momento, observemos que al apóstol le interesa asegurar que se ocupa de todo aquello de lo cual es responsable con la coherencia de la que venimos hablando. 'Queremos evitar cualquier crítica sobre la forma en que administramos este generoso donativo; porque procuramos hacer lo correcto, no sólo delante del Señor sino también delante de los demás' (8.20–21). Explica una variedad de estrategias por medio de las cuales se asegurará de que eso ocurra, y más tarde volveremos a ellas. Para demostrar la seriedad con que considera este asunto, también enfatiza que se ha conducido de manera coherente tanto ante Dios como ante los hombres. Esta es otra declaración de transparencia, es desempeñarse en el liderazgo bajo la mirada de Dios. Pablo invoca a Dios de manera explícita como testigo de la integridad de sus intenciones y de su toma de decisiones. '¡Por mi vida! Pongo a Dios por testigo de que es sólo por consideración a ustedes por lo que todavía no he ido a Corinto' (1.23). Repite esta idea en otras secciones de su carta, como veremos en el próximo capítulo.

Pablo insiste a los corintios que acepten sus declaraciones en cuanto a su principal motivación: su total sinceridad y su completa coherencia. ¿Y se plantea todo esto sólo a causa de un pequeño cambio en la agenda?

Por supuesto, Pablo se daba cuenta de lo que estaba en juego. No se trataba simplemente de su credibilidad como apóstol, sino de la credibilidad del evangelio que les había presentado. Esta es la razón por la cual palabras como 'sinceridad' y 'coherencia' son tan importantes en nuestra vida también. Sabemos lo que está en juego. En una conferencia en la universidad de Georgetown, en Washington, Tony Blair desafió a Occidente a no renunciar a su responsabilidad moral hacia los pueblos sometidos en el mundo. Yasmin Alibhai-Brown comentó en *The Independent* que este había sido 'un mensaje idealista contaminado por el mensajero. Sus palabras sonaron fraudulentas, porque mintió acerca de Irak y fue despectivo hacia la ONU. Más aun, es un perdedor. Su misión prototipo en Irak fracasó … El cinismo resultante se expandió a Oriente y a Occidente.'[2]. Cualquiera sea nuestra perspectiva sobre la intervención en Irak y sus secuelas, entendemos esta reacción hacia un mensaje idealista, al parecer contaminado por el mensajero. La gente se niega a escucharlo. Y se muestra cínica, no solo hacia el mensajero sino hacia el mensaje.

La explicación de la apasionada reacción de Pablo hacia los críticos en Corinto es su preocupación de proteger la verdad, el mensaje apostólico del evangelio. Esto era lo que más le importaba. Reacciona de la misma manera cuando escribe al final de sus días, advirtiéndole a Timoteo acerca de Alejandro, el herrero. Quienquiera que haya sido, Alejandro le había hecho 'mucho daño' a Pablo. Sin embargo, al recomendarle a Timoteo que se cuidara de él, lo que le importaba a Pablo no era la ofensa personal, sino el hecho de que Alejandro 'se opuso tenazmente a nuestro mensaje' (2 Timoteo 4.14–15). Cualquiera fuera la oposición que a Pablo le tocara enfrentar, su necesidad de proteger el evangelio era siempre primordial.

Tal vez eres responsable de un grupo pequeño de tu iglesia, y tengas la idea de que, en la estrategia global, esa actividad sea relativamente insignificante. Sólo tienes que asegurar que haya un lugar donde reunirse, alguien para liderar el encuentro, y alguien para servir el café. Pero no deberíamos perder de vista lo que Pablo está comunicando. Aun en la tarea más pequeña, nuestra responsabilidad es la de verificar que esté presente la siguiente lógica: que, en nuestro servicio fiel y coherente, estamos comunicando la verdad y el poder del evangelio. Y tengamos la certeza de que, en la comunidad cristiana, se nos está observando. Nuestra manera de ocuparnos de tareas menores y molestas, la manera en que reaccionamos ante los participantes torpes, cómo nos comunicamos en el correo electrónico, cómo respondemos cuando estamos cansados: en cada uno de esos momentos estamos expresando algo acerca de los valores del evangelio. Esta es la razón de la ardiente defensa de Pablo, y la motivación de su llamado a que vivamos de manera íntegra.

Confiabilidad: Reflejar la fidelidad de Dios

Por último, hay una tercera cualidad que todos los líderes debiéramos imitar.

En el capítulo anterior comentamos acerca de la investigación de Margaret Thorsborne, asesora institucional en el terreno de las relaciones laborales, cuyo estudio identificó a la integridad entre las principales cualidades esperadas en el ámbito del trabajo. Su informe está orientado hacia el mercado no cristiano, por lo cual me llamó la atención la manera en que describía a una empleada en particular:

> Sarah es una gerente de nivel medio en una institución pública importante. Es una de las dos personas a las que puedo nombrar como poseedoras de la virtud de integridad en abundancia. Sarah se interesa personalmente por los que sufren. Es sumamente confiable, y se la convoca para enmendar situaciones … Su compromiso con el bienestar del personal y de la dirigencia es enorme, con frecuencia al precio de un costo personal, tanto físico como emocional. Su concepto cada vez más elevado entre los gerentes principales y su perfil como persona confiable y honrada (les ha salvado el pellejo en más de una ocasión) significa que ha quedado afectada por el síndrome de 'la preferida'. Sospecho que por sus observaciones ha hecho quedar mal a otros colegas menos íntegros, y estos han aprovechado cada oportunidad que se les presentara para vengarse de ella. Comentarios sarcásticos, hostilidad abierta,

> quejas directas ... susurros al oído de alguien poderoso: todo esto hiere sus sentimientos. Aun así, ella no se ha desviado de su propósito de transformar las relaciones amargas en el lugar de trabajo, en relaciones más sanas. Es una cristiana consagrada y discreta, y obviamente esto juega un papel importante en sus valores.[3]

Esta es una cuestión que encierra mucho poder. Esa persona lleva una vida que comunica mucho acerca de la coherencia de la fe cristiana. No cabe duda de que puede sernos difícil mantener esta actitud, ya sea en el trabajo o en el ambiente cristiano. La sinceridad, la coherencia y la confiabilidad son virtudes que la mayoría de la gente admira, pero el llevarlas a la práctica puede volverse engorroso. No siempre son atributos bien recibidos.

Pablo tuvo que enfrentar críticas acerca de sus intenciones, y, en consecuencia, una vez más tuvo que defender su comportamiento, esta vez enfatizando la confiabilidad. Ahora escribe acerca de sus planes de viaje. Se había propuesto visitarlos tanto de ida hacia Macedonia como de regreso, y él no tomaba las cosas a la ligera en la preparación de su itinerario. Sus motivaciones no eran egoístas; es más, había planificado el viaje para beneficio de ellos, como queda claro en 1.15; la palabra que usa allí, traducida como 'bendición', tiene ecos de la palabra 'gracia'. Él quería que ellos tuvieran una doble bendición. Y al cambiar sus planes, había tenido en cuenta el beneficio de los corintios.

Pablo repite este énfasis en la confiabilidad y en la sinceridad, al subrayar una vez más en el versículo 17 cuáles son sus valores: "Al proponerme esto, ¿acaso lo hice a la ligera? ¿O es que hago mis planes según criterios meramente humanos, de manera que diga 'sí, sí' y 'no, no' al mismo tiempo?".

Los corintios lo acusaban de no ser confiable en absoluto: "¡¿Pablo?! Dice 'Sí, iré pronto a verlos.' Pero lo que realmente quiso decir fue 'No, pasaré por allí dentro de un tiempo.'" No se puede confiar en él... Entonces Pablo responde a esas acusaciones: "Pero tan cierto como que Dios es fiel, el mensaje que les hemos dirigido no es 'sí' y 'no'" (1.18).

Pablo no estaba diciendo sí y no al mismo tiempo, o haciendo promesas que luego rompía al día siguiente. Él preparaba sus planes cuidadosamente en la presencia de Dios, para beneficios de los cristianos en Corinto. Y el versículo 18 muestra por qué esto era tan importante para Pablo: "Pero tan cierto como que Dios es fiel, el mensaje que les hemos dirigido no es 'sí' y 'no'."

Como hemos visto, no estaba simplemente defendiendo su reputación personal. Cualquier crítica acerca de su honestidad, arrojaría dudas sobre la honestidad de su ministerio y por lo tanto de su mensaje. Su reacción consiste en hablar en primer lugar sobre la fidelidad de Dios, y luego sobre su propia confiabilidad.

La fidelidad de Dios y la nuestra

> Pero tan cierto como que Dios es fiel, el mensaje que les hemos dirigido no es 'sí' y 'no'. Porque el Hijo de Dios, Jesucristo, a quien Silvano, Timoteo y yo predicamos entre ustedes, no fue 'sí' y 'no'; en él siempre ha sido 'sí'. Todas las promesas que ha hecho Dios son 'sí' en Cristo. Así que por medio de Cristo respondemos 'amén' para la gloria de Dios. Dios es el que nos mantiene firmes en Cristo, tanto a nosotros como a ustedes. Él nos ungió, nos selló como propiedad suya y puso su Espíritu en nuestro corazón, como garantía de sus promesas.
>
> 2 Corintios 1.18–22

Pablo dice que hay tres evidencias de la confiabilidad de Dios.

- Primero, Jesucristo el Hijo de Dios, es el 'sí' de Dios. En Jesús no hay incoherencia. Él es nuestro modelo de integridad, la encarnación de la fidelidad de Dios (1.19).

- Segundo, Dios cumplió, y sigue cumpliendo, cada una de las promesas por medio de su Hijo Jesucristo. Y al igual que los corintios, nosotros también confirmamos la fidelidad de Dios cuando por medio de Cristo decimos 'amén' a la prédica del mensaje de Dios (1.20).
- Tercero, Dios nos dio su Espíritu: lo dio a Pablo, a los corintios, a todo el pueblo de Dios (1.21–22).

¿Por qué se toma tiempo Pablo para bosquejar un tema doctrinal, en el medio de una defensa personal? Todas las metáforas de estos últimos versículos nos muestran que el Espíritu había capacitado a Pablo no sólo para ser un vehículo de las promesas de Dios, sino también para ser una demostración viva de su confiabilidad. Dudar de la honestidad de Pablo sería dudar de la credibilidad de la obra del Espíritu en su vida y en la de ellos. Dudar de la palabra de Pablo sería dudar de la credibilidad del mensaje del evangelio. ¿Cómo podría él, un mensajero de Dios, actuar de una manera que no fuera coherente con el Dios que lo enviaba?

Esta es una declaración notablemente valiente de su propia integridad. Está tan preocupado por las acusaciones en su contra, que se atreve a trazar un paralelo entre su conducta y la de Dios. Tan cierto como que Dios es fiel, dice Pablo, también lo es nuestra palabra. Así como Dios mantiene sus promesas, también nosotros lo hacemos. Al reaccionar a las acusaciones recibidas, Pablo no sólo las repudia vigorosamente sino que, al hacerlo, demuestra cuán confiable es el mensaje cristiano. ¿Y cuál es la prueba que ofrece? Que este mensaje:

- está fundado en la fidelidad de Dios
- asegurado por la obra de Cristo
- garantizado por la presencia del Espíritu en nosotros

Permíteme, entonces, preguntar: ¿Hasta qué punto son visibles estas cualidades en nuestro liderazgo? Sinceridad, coherencia y confiabilidad: nuestro fracaso en mostrarnos íntegros probablemente sea el obstáculo más serio para cualquier tipo de ministerio cristiano, y en consecuencia, para el crecimiento de la obra de Dios. ¿Podría ocurrir que los observadores externos miraran a nuestra organización, a nuestra iglesia o a nuestro liderazgo, y no pudieran reconocer ninguna característica distintivamente cristiana en nuestra manera de tratar a la gente, de manejar el dinero, de cumplir con nuestra declaración de misión, o de mantener nuestras promesas?

Hemos aprendido, a través del testimonio de Pablo, que dependemos de la gracia de Dios para vivir de esa manera. Deberíamos orar más a menudo, pidiendo una unción fresca del Espíritu, que afiance en nosotros la santidad y la honestidad que provienen de Dios. Si eso ocurre, no sólo transformará nuestra persona y nuestra comunión cristiana sino que además brindará un genuino modelo de cómo funciona el evangelio. Dará honor al nombre de Cristo, quien verdaderamente demuestra la integridad y la confiabilidad de Dios.

Ahora, tu turno...
Sé íntegro

- Dios dice: 'Vive en mi presencia y sé intachable.' En tu vida cotidiana, ¿hasta qué punto eres consciente de la presencia de Dios? ¿En qué áreas reconoces que te falta coherencia, y te gustaría dejarte guiar más por el poder de la Palabra de Dios y del Espíritu Santo? ¿Cuáles son las principales áreas de crecimiento que te gustaría ver en tu vida personal?

- ¿Puede la gente confiar plenamente en tu palabra? ¿Eres consecuente con tus compromisos, cumples tus promesas?

- Todos enfrentamos la tentación de adaptar la manera de presentar una situación, según la audiencia de la que se trate. ¿Eres siempre veraz, no importa la persona a la que estés hablando?

- Tenemos diferentes personalidades: algunos se comprometen más con la presentación global, y otros con los detalles. Sea como fuere, ¿se puede confiar en que completarás la tarea que te hayan asignado, y que llevarás a cabo tus responsabilidades de manera fiel?

- ¿Eres la misma persona en una habitación de hotel, en una congestión de tránsito, en una oficina pública, en una discusión familiar, que la que eres en la iglesia o en el púlpito?

LIDERAZGO
Y LLAMADO

03 Verdadera responsabilidad

> Imagina tu vida entera, como todos lo hacemos a veces, como si la hubiera tomado una cámara de vigilancia y proyectara una película de manera neutral y sin emitir juicio. Luego imagina que se exhibe ante tu pareja, tus amigos, tus colegas del trabajo. Quedas al desnudo, todos pueden ver tus mentiras y simulaciones… En las viejas historias, Dios cumplía este papel. En nuestra época, el ser que todo lo ve es la cámara digital, que en el mundo real cumple el papel de juez y jurado para innumerables pequeños delitos, y también algunos grandes.

Rosie Millard escribió estas líneas en el comentario de la película *Caché* [Escondido]. En esencia, se trata de una simple cuestión moral: ¿Depende la integridad personal de quién sea el que está mirando? Millard concluye: 'En estos días, conviene estar completamente limpio hasta el fondo de nuestro ser. Gran Hermano nos mira a todos.'[1]

La mayoría de nosotros cae en el juego de actuar en alguna medida para las cámaras. Cuando estamos en público, nuestros modales mejoran, tal vez nos vestimos de manera más atractiva, mantenemos nuestros hábitos desagradables bajo control, y hasta cuidamos el acento al hablar. Pero esa no es toda la realidad. El asunto tiene muchas capas: ¿Coincide nuestra vida pública con nuestro comportamiento privado? ¿Y coincide nuestro comportamiento privado con nuestra vida interior? Todavía puedo recordar, en mi infancia, cuando los predicadores evangelistas en nuestra pequeña iglesia en Londres nos preguntaban cómo nos sentiríamos si se exhibiera nuestra vida en una gran pantalla en el salón de la iglesia. Eso no me preocupaba demasiado. Yo era un muchachito de trece años bastante común, con una vida cotidiana más bien corriente. Pero lo que habría inducido en mí cierto grado de pánico hubiera sido la proyección de mi vida interior, de mis actitudes hacia mis hermanos, mis pensamientos acerca de mis maestros, mis actitudes poco cristianas hacia las personas en la congregación.

La gran motivación para mantener una vida íntegra surge de un sentimiento de gratitud.

La motivación para vivir con integridad no proviene en primera instancia del temor de que nuestro comportamiento privado o nuestros pensamientos íntimos queden alguna vez exhibidos ante el mundo, si bien esa posibilidad nos mantendría más atentos. La gran motivación para mantener una vida íntegra surge de un sentimiento de gratitud. Quiero vivir de esta manera porque es una expresión de responsabilidad hacia el Dios que me ama y me ha llamado a su servicio.

A medida que crezco me torno más consciente de la influencia poderosa y positiva que ejerce este sentido de responsabilidad. Soy responsable ante muchas personas. Soy responsable ante mi familia. Soy consciente ante la promesa que hice a mi esposa en cuanto a serle fiel. Soy profundamente consciente de la responsabilidad hacia mis tres hijas, de quienes debo ocuparme con un compromiso amoroso y una atención constante. Estas cuatro mujeres en mi vida tienen todo el derecho de señalar mi inconsistencia, porque ellas observan mi vida y conocen mis debilidades.

Soy responsable como empleado, y debo cumplir mis obligaciones hacia mi empleador. Como empleado de una organización cristiana, en alguna medida soy responsable ante las personas y las iglesias cuya generosidad sostiene nuestro trabajo y cubre nuestro salario. No trabajo con un sentido de culpa, sino de gratitud. Sin embargo, el hecho de que las personas hayan ofrendado con sacrificio me motiva a ejercer una mayordomía cuidadosa. También soy responsable hacia mis colegas en distintos lugares del mundo, ya que cumplo un papel en las tareas que respaldan nuestra misión. Soy responsable también ante el departamento impositivo del país, porque como ciudadano debo declarar mis ingresos y pagar lo que me corresponde, ya que finalmente se destina al bienestar de la sociedad de la cual formo parte.

Me siento responsable de que, al haber recibido tantas bendiciones, debo vivir con sincera gratitud y actuar como un mayordomo responsable. Sé que debo vivir ante mis hijas a fin de ser un ejemplo que ellas deseen imitar, y que debo conducirme con mi esposa, mis amigos y mis colegas de una manera coherente con las declaraciones que hago desde el púlpito o desde una plataforma de conferencia.

Pero todos sabemos que hay modos de esquivar o suavizar esas responsabilidades. Recientemente leí que los empresarios japoneses tienen la posibilidad de comprar 'cintas para coartadas'. Si quieren demorarse al salir del trabajo porque tienen una aventura con otra mujer, pueden telefonear a su esposa y hacer correr la breve cinta. Esta contiene un fondo con sonidos de estación ferroviaria o de un aeropuerto congestionado, de manera que el hombre puede sugerir que su tren quedó cancelado o se demoró el vuelo. La mayoría de nosotros usa técnicas más sutiles para presentar excusas o engaños, decir medias verdades, tomar atajos.

El llamado a la integridad se presenta con la mayor fuerza cuando comprendo que tengo el compromiso de rendir cuenta ante Dios. Debo ser cuidadoso en este planteo, ya que sería un error sugerir que sirvo a Dios por miedo, que lo imagino como el gran jefe, como el recaudador final. Mi responsabilidad frente a Dios surge de mi condición de criatura creada a su imagen, llamada a ser su hijo, redimida por su gracia para servirle por una decisión libre y de todo corazón.

Es cierto que también soy responsable, al igual que todos los hombres y mujeres, como una persona creada por él y moralmente responsable ante él. Pero el sentido de responsabilidad, y en consecuencia mi servicio como cristiano, nace en especial de mi respuesta a su llamado de gracia. Cuando me siento tentado a comportarme de manera descuidada en mi trabajo o en mis actitudes, o de una forma que no honre a Cristo, estoy abaratando la gracia de Dios.

Aunque Pablo está escribiendo a los corintios con la intención de respaldar su desempeño, se muestra especialmente interesado en subrayar que su principal responsabilidad es ante Dios. Una y otra vez repite que él vive bajo la mirada atenta de Dios.

Vale la pena detenernos para ver con cuánta frecuencia Pablo menciona esta verdad. A continuación presentamos un conjunto de referencias sobre el tema.

Dios mira

- pongo a Dios por testigo (1.23)
- en presencia de Cristo (2.10)
- en la presencia de Dios (4.2)
- no sólo delante del Señor sino también delante de los demás (8.21)
- delante de Dios (12.19)

Dios sabe

- Para Dios es evidente lo que somos (5.11)
- ¡Dios sabe que sí! (11.11)
- El Dios y Padre del Señor Jesús … sabe que no miento. (11.31)
- Dios lo sabe (12.2–3)

Dios se interesa

- El día del Señor Jesús (1.14)
- Hablamos con sinceridad delante de él en Cristo (2.17)
- Delante de Dios (3.4)
- Ante el tribunal de Cristo (5.10)
- En el temor de Dios (7.1)
- Delante de Dios (7.12)
- Honrar al Señor (8.19)
- A quien recomienda el Señor (10.18)

Pablo sabe que es responsable ante Dios. En el capítulo 1 observamos que un rasgo de la coherencia de Pablo era que podía nombrar a Dios como testigo de su integridad (1.23). A lo largo de la epístola enfatiza que todas sus acciones y actitudes son conocidas pos Dios: 'Por tanto, como sabemos lo que es temer al Señor, tratamos de persuadir a todos, aunque para Dios es evidente lo que somos, y espero que también lo sea para la conciencia de ustedes' (5.11); '¿Todo este tiempo han venido pensando que nos estábamos justificando ante ustedes? ¡Más bien, hemos estado hablando delante de Dios en Cristo! Todo lo que hacemos, queridos hermanos, es para su edificación' (12.19).

El énfasis de Pablo me plantea un enorme desafío. No hay nada casual en su ministerio. La manera en que cumple su responsabilidad de proclamar a Cristo, la manera en que se conduce frente a la crítica, la manera en que toma decisiones... todo lo hace bajo la mirada atenta de Dios. No hay una pizca de indiferencia en el cumplimiento de su servicio cristiano.

Por eso, aunque se resiste a alabarse a sí mismo, puede hacerlo con total honestidad porque sabe que se conduce delante de Dios y que es responsable ante él. Dada la frecuencia con la que Pablo expresa su compromiso de ser responsable y trasparente utilizando la frase 'delante de Dios', algunos comentaristas sugieren que podría tratarse de una formula de juramento. El apóstol es cabalmente serio en lo que dice.

Pablo reconoce que a Dios le importan sus motivaciones, sus actitudes y sus comportamientos. Él habla delante de Dios (2.17). Actúa 'en el temor de Dios' (7.1). Sabe que algún día todo quedará bajo el escrutinio de Dios, 'en el día del Señor Jesús' (1.14). Queda claro en el capítulo 5, cuando describe su motivación para el servicio: 'Nos empeñamos en agradarle' (5.9). Y continúa: 'Porque es necesario que todos comparezcamos ante el tribunal de Cristo, para que cada uno reciba lo que le corresponda, según lo bueno o malo que haya hecho mientras vivió en el cuerpo' (5.10). De modo que algún día estaré delante de Jesucristo, quien me envió como embajador y a quien daré cuenta de lo que haya hecho. Pablo no toma esto livianamente. 'Por tanto, como sabemos lo que es temer al Señor …' (5.11).

El juicio que Pablo describe no es un tribunal que decida nuestro destino eterno. Más bien, es el momento en que rendiremos cuenta acerca de cómo hemos vivido; será un juicio de nuestra mayordomía. Este versículo se entiende mejor cuando se lo lee a la luz de la enseñanza de Pablo en su primera carta (1 Corintios 3.11–15). Allí escribe acerca de la importancia de asegurarnos de que nuestra vida esté construida sobre el fundamento de Cristo. Él es el verdadero fundamento, el que resiste todas las pruebas. Estaremos seguros en la medida en que construyamos nuestra vida sobre él. Pero hay más: queda la pregunta acerca de cómo construir sobre ese fundamento. ¿Servirá de algo hacerlo con materiales perecederos (como la madera, el heno, la paja), o lo haremos con aquellas cosas que tienen valor duradero (el oro, la plata, o las piedras preciosas)? Habrá un día en que pondrá en prueba la calidad de nuestra construcción, y en ese día de juicio, ¿sobrevivirá lo que hicimos, o desaparecerá en una nube de humo? El concepto es claro: *qué* construyes es importante; *cómo* vives es importante. Pablo menciona el hecho de que el juicio que enfrentaremos en aquel día será muy concreto: 'según lo bueno o malo que haya hecho mientras vivió en el cuerpo' (5.10).

Todo saldrá a la luz. El día del juico de los cristianos no tiene el propósito de ensombrecer nuestra esperanza ni ahogar nuestra alegría ante la expectativa de estar con Cristo. Más bien se trata de un estímulo a servir con fidelidad, un recordatorio de nuestra obligación de vivir para Cristo, bajo su control y guía. ¿De qué manera uso mi tiempo, mis dones, mis recursos, y las muchas oportunidades que Dios me ha dado? Todo esto cuenta, dice Pablo, a la luz del futuro. Cuando miremos atrás en nuestra vida, ¿nos daremos cuenta de que habíamos construido con materiales perecederos, o habremos construido con lo que permanece, con lo que es eterno? Tenemos un llamado a servir fielmente, a vivir de todo corazón en conformidad con los valores del reino de Dios, no para nuestro beneficio personal, y en consecuencia temporal.

Durante una entrevista en el programa de Michael Parkinson, Tony Blair hizo una extraña confesión en cuanto a la manera en que su fe influía en sus decisiones políticas. Sugirió que Dios juzgaría sus decisiones en relación con la guerra en Irak. *The Times* publicó las reacciones que recibió su declaración: 'Quienes parecen considerar a cualquier creencia como un signo de debilidad pusieron en evidencia la actitud intolerante de la Bretaña no religiosa ... Rinden un mal servicio al país, porque desemboca en una actitud secular fanática e histérica.' Blair fue ridiculizado por esa declaración. Estas fueron las palabras de Richard Reeves en *New Statesman*: 'En realidad no importa si oró con George W. Bush: si ocurrió fue en privado, y ambos son adultos para dar su consentimiento. Lo que sí cuenta es si Blair cree, como parece creer, que su responsabilidad final por enviarnos a la guerra es solo ante su Creador. La responsabilidad de Blair está en la tierra, hacia las familias de aquellos que sufren heridas o que mueren.'[2]

Tony Blair explicó que se sentía responsable tanto hacia el electorado británico como ante Dios, ante quien tendrá que presentarse a juicio por sus actos y sus decisiones. En este sentido tenía toda la razón, y veríamos una notable diferencia en el estilo político, en el comportamiento y en la toma de decisiones, si todos los políticos tuvieran esa misma convicción.

En unas de sus cartas más conmovedoras, escrita hacia el final de su vida, Pablo animó a Timoteo a que viviera con este mismo sentido de responsabilidad. 'En presencia de Dios y de Cristo Jesús, que ha de venir en su reino y que juzgará a los vivos y a los muertos, te doy este solemne encargo' (2 Timoteo 4.1). Pablo miraba hacia atrás a los años de servicio, y con la conciencia limpia podía declarar que había vivido con un auténtico sentido de responsabilidad delante de Dios, el Juez ante quien se encontraría en poco tiempo.

> He peleado la buena batalla, he terminado la carrera, me he mantenido en la fe. Por lo demás me espera la corona de justicia que el Señor, el juez justo, me otorgará en aquel día; y no sólo a mí, sino también a todos los que con amor hayan esperado su venida.
>
> 2 Timoteo 4.7–8

Si bien esto le inyecta seriedad a nuestro ministerio, también le da un sentimiento de libertad, en especial cuando enfrentamos críticas. Como dice Pablo, 'muy poco me preocupa que me juzguen ustedes … el que me juzga es el Señor' (1 Corintios 4.3–4). Dice algo muy similar al escribir a los tesalonicenses. Sus motivaciones son claras; no pretende engañarlos: 'Al contrario, hablamos como hombres a quienes Dios aprobó y les confió el evangelio: no tratamos de agradar a la gente sino a Dios, que examina nuestro corazón. Como saben, nunca hemos recurrido a las adulaciones ni a las excusas para obtener dinero; Dios es testigo' (1 Tesalonicenses 2.4–5). De manera similar a la que escribe en 2 Corintios, Pablo estaba respondiendo a quienes lo acusaban de no ser un verdadero apóstol. Explica en términos directos que Dios lo había enviado al ministerio. Él era quien lo había aprobado y comisionado. Pablo se sentía profundamente responsable, porque se le había encomendado el evangelio. Él era un mayordomo con un hondo sentido de dependencia, y esto lo cautivaba, transformaba su vida y determinaba sus prioridades.

¿Cómo reaccionas tú ante la crítica?

A su vez, este llamado influenciaba en sus motivaciones y su comportamiento. 'Al contrario, hablamos como hombres a quienes Dios aprobó y les confió el evangelio: no tratamos de agradar a la gente sino a Dios, que examina nuestro corazón. Como saben, nunca hemos recurrido a las adulaciones ni a las excusas para obtener dinero; Dios es testigo' (1 Tesalonicenses 2.4–5). Por la elección de sus palabras nos damos cuenta de las acusaciones que debió enfrentar: 'El error ... malas intenciones ... engañar ... adulaciones ... excusas para obtener dinero ... buscado honores' (1 Tesalonicenses 2.3, 5, 6). ¿Cómo reaccionas tú ante la crítica? Esta es una de las pruebas más duras en nuestro llamamiento cristiano, y a veces puede poner nuestra decisión de integridad bajo un estrés intenso. Hiere nuestro ego, seca nuestra motivación, le quita agilidad a nuestro andar y nos empuja hacia el resentimiento, la ira y la frustración. ¿Para qué hago todo esto, si después me lo echan en cara?

Un gran beneficio de la crítica es que nos obliga a poner a prueba nuestras verdaderas motivaciones. Pablo sabía con claridad cuáles eran las de él: 'No tratamos de agradar a la gente sino a Dios ... Tampoco hemos buscado honores de nadie' (1 Tesalonicenses 2.4, 6). No tenía motivaciones mezcladas. Era completamente honesto. No había en él engaño, ni encubrimiento, ni ambición. Todo estaba sobre la mesa. Podía hablar de frente: 'Como saben ... Dios es testigo ... Dios y ustedes me son testigos' (1 Tesalonicenses 2.5, 10).

Es imposible confundirnos. Integridad significa vivir bajo la mirada de Dios, porque él se interesa por cada detalle de nuestra vida, aun aquellos aspectos que otros no pueden ver. De esto surgen algunas preguntas inquietantes:

- ¿Quién somos cuando nadie nos ve?
- ¿Cómo trabajamos cuando el jefe no está?
- Cuando trabajamos en casa, ¿cumplimos nuestras horas de trabajo y mantenemos nuestras prioridades?
- Si nadie nos controla, ¿cumplimos con nuestros horarios, somos correctos en el uso del dinero, y cuidadosos en cuanto a los sitios que visitamos en la Internet?

En la medida en que entendamos que somos responsables ante el Padre y que daremos cuentas a nuestro Juez, nuestro enfoque de trabajo se transformará, y esto beneficiará nuestro servicio a los demás. Al escribir para líderes de iglesias, Peter Brain dice: 'Si partimos del supuesto de que somos siervos de la iglesia, nos encontraremos ante un amo al que no podemos complacer. ¿Cómo podríamos servir a un amo que se expresa con múltiples y variadas voces? ... Pertenecemos a Dios y le servimos a él, y hemos sido llamados y encomendados por él para servirle. Serviremos mejor a la iglesia si en primer lugar servimos a Dios.'[3]

Sin embargo, es incorrecto pensar que somos responsables solamente ante Dios. Una de las maneras en que se refleja este concepto es el de la relación con nuestros compañeros cristianos. En el caso de muchos líderes, una de las mayores debilidades es la falta de una persona sensata ante quien rendir cuentas. Es una necesidad imperiosa que otros nos pidan cuentas. Más adelante nos ocuparemos de lo que significa el trabajo en equipo, pero digamos que una de sus grandes ventajas es que podemos sentirnos respaldados y que nos piden cuentas. Por alguna razón los cristianos somos un tanto renuentes a analizar informes, a la evaluación de metas y a la rendición de cuentas. Pero en realidad, ya sea que lo hagamos de manera formal o informal, este sentido de ser responsables por otros y ante otros es un elemento esencial que nos ayudará a vivir con integridad.

Pablo trabajaba en equipo y animaba a otros a hacerlo. En su primer viaje misionero fue enviado por un equipo, trabajó con un equipo y luego rindió un informe ante ese equipo. Esto se relata con detalle al finalizar el viaje, en el resumen que hace Lucas en Hechos 14.26–28: '... navegaron a Antioquía, donde se los había encomendado a la gracia de Dios para la obra que ya habían realizado. Cuando llegaron, reunieron a la iglesia e informaron de todo lo que Dios había hecho por medio de ellos, y de cómo había abierto la puerta de la fe a los gentiles. Y se quedaron allí mucho tiempo con los discípulos'. Aquí encontramos tres expresiones de esta rendición de cuentas:

Rendir cuentas a Dios: 'Todo lo que Dios había hecho por medio de [o con] ellos' (Hechos 14.27). Expresa el reconocimiento de que Dios hizo la obra. Su ministerio era resultado de su llamado, de su cuidado y de su poder; el trabajo se realizaba bajo su atenta mirada. Ser responsables ante Dios nos dará un sentido cada vez mayor de nuestra dependencia de él, y nos preocuparemos por mantenernos enfocados en nuestro llamado, además de comprometernos a cumplir nuestra tarea y nuestro servicio para su gloria y sus buenos propósitos.

Rendir cuentas ante otros: 'Reunieron a la iglesia e informaron de todo' (Hechos 14.27). Sin duda esta fue una hermosa manera de agradecer, pero también de animar a los hermanos en la fe en esa congregación de Antioquía. Y es un factor importante de integridad, ya que debemos ser responsables ante otros. Hay una variedad de maneras en que podemos cumplir con esto. En términos formales, tal vez seamos responsables ante un empleador, ante una junta pastoral de la iglesia local o ante un comité. Estas estructuras dan respaldo y orientación estratégica, pero tenemos que asegurarnos de que también sirvan para rendir cuentas. Los líderes necesitamos este control para mantenernos enfocados en la tarea. Cuando nos falta, es fácil hacer mal uso del poder, aun en un ambiente cristiano; corremos el riesgo de manipular situaciones para nuestro beneficio. El problema radica en que los mecanismos de control con frecuencia son muy limitados. Los líderes podrían manejar la situación para su conveniencia, porque el grupo formal (la junta, el comité) sólo sabe lo que el líder les dice. En conclusión, debemos buscar maneras de asegurar que realmente exista una rendición de cuentas que estimule la transparencia y la honestidad.

Una de las mayores debilidades es la falta de una persona sensata ante quien rendir cuentas.

También hay muchas maneras no formales de practicar nuestra responsabilidad ante otros, pero es preciso buscarlas intencionalmente. Por ejemplo: un pequeño grupo de oración, donde nos encontramos con dos amigos cercanos con quienes podemos orar y compartir nuestras respectivas preocupaciones, y ser francos unos con otros acerca de nuestras luchas y tentaciones, como así también de nuestras esperanzas y alegrías. En una congregación lo ideal es el liderazgo compartido, que puede ofrecer el respaldo, la confianza y la mutua responsabilidad que necesitamos. Esto nos plantea exigencias: tenemos que definir horarios para conversar y orar juntos; debemos estar dispuestos a ser honestos respecto a nuestros éxitos y a nuestros fracasos, y a confiar que nuestros hermanos en la fe tratarán esa información con integridad; y también tenemos que estar dispuestos a compartir las cargas de nuestros compañeros. Este es un fundamento básico para vivir de manera coherente. Sin este factor, es fácil engañarnos a nosotros mismos. Corremos el riesgo de mantener una doble vida, una de ellas secreta y desconocida para los demás, y una vida pública que puede parecer limpia y prolija, pero en realidad no es la verdadera persona.

Rendir cuentas ante nosotros mismos: 'La obra que ya habían realizado' (Hechos 14.26). Cuando Pablo y Bernabé dieron su informe, tenían plena conciencia de que Dios había cumplido sus planes por medio de ellos. El texto subraya reiteradamente que era el Espíritu quien hacía la obra. A la vez, es notable que después de recorrer varias ciudades y de plantar y afianzar a las nuevas comunidades cristianas, tenían la convicción de que habían hecho un buen trabajo. Habían completado el trabajo que Dios les había encomendado. Esto significa que también somos responsables de nuestra propia vida y de cumplir el trabajo que se nos ha confiado. Sin duda lo hacemos bajo la mirada de Dios y en su poder. Pero somos responsables del manejo de nuestro tiempo, de nuestro servicio, de nuestra comprensión cada vez más profunda de las Escrituras y de nuestro crecimiento en el liderazgo. Esta no es una mirada egocéntrica, sino nuestra decisión de madurar como líderes siervos, más capaces de cumplir con el llamado del Señor.

En todo esto somos seguidores del Maestro, quien estaba comprometido con la voluntad de su Padre. A lo largo de los Evangelios podemos ver que la fuerza directriz en la vida de Jesús era su obediencia a Dios sin titubeos. Su Padre lo había enviado, le daba poder, y él estaba en comunión con su Padre y le era obediente. Sus discípulos debemos ser como él. Como dijo Pablo a los corintios: 'Por eso nos empeñamos en agradarle' (2 Corintios 5.9). Esa es la esencia de una vida íntegra.

04 El servicio a otros

Hace poco tuve noticias sobre dos obispos. Uno de mis colegas regresó de un país africano donde nuestra iglesia ha estado trabajando con la gente del país para desarrollar un programa de capacitación de pastores. Participaron unas 160 personas, hombres y mujeres, pero uno de estos líderes se destacaba entre todos: era el obispo. No estaba en el estrado dando conferencias. Mi amigo lo describió como la persona que circulaba silenciosamente en la habitación, retirando los envases de agua vacíos. Cuando alguien ingresaba al salón colmado de asistentes y no podía encontrar una silla, el obispo era quien se aseguraba de conseguirle una. El otro clérigo del que tuve noticias es una persona de larga trayectoria en la iglesia anglicana en Inglaterra. Es un personaje polémico, que aparece con frecuencia en los medios. También es un maestro de la ironía, y tal vez con razón. Sin embargo, algunos cristianos que viven en la misma ciudad tienen la impresión de que este obispo no está contento a menos que aparezca en los titulares.

Los comentarios que recibí sobre estos dos obispos son apenas una instantánea, por supuesto. No podemos juzgar sus motivaciones, y además sirven en dos culturas muy diferentes. Aun así, plantean un interrogante acerca de cómo percibimos nuestra tarea. ¿Cuál es nuestra orientación principal? Al hablar de Timberline, una iglesia en Colorado, Jeff Lucas cita una pauta sencilla que su pastor principal recomienda sobre el liderazgo. Muchos líderes, cuando hacen su entrada a un lugar, adoptan una actitud que comunica 'aquí estoy yo', y se esfuerzan por impresionar, por llamar la atención. Aquel pastor en Colorado estimula a sus colegas en el liderazgo a desprenderse del 'aquí estoy yo' y a remplazarlo por un 'aquí están ustedes'. Es una pauta simple pero muy perceptiva. Dice mucho acerca del enfoque principal de nuestro liderazgo.

Servir a los demás no es un impulso natural.

La bibliografía sobre el liderazgo usa cada vez más el lenguaje del servicio. Durante los últimos treinta años la descripción del 'líder siervo' se ha aplicado en las empresas seculares casi tanto como en la iglesia. Si lo pensamos por un instante, nos damos cuenta de que este enfoque debería ser obvio. Después de todo, el liderazgo sólo existe en relación con otras personas, y el liderazgo más eficaz es aquel que se propone influenciar, capacitar, y de esa manera servir a otros. Tal vez resulte obvio, pero su cumplimiento presenta enormes exigencias. Servir a otros resulta desafiante, como veremos en los próximos capítulos. No me refiero solamente a las exigencias de aquellos a quienes procuramos servir. Lo que tal vez resulta aun más demandante es que tenemos una lucha con nuestra propia agenda. Servir a los demás no es un impulso natural. Con frecuencia estamos empujados por nuestros intereses personales, que se reflejan en la preocupación por nuestra autoconservación y nuestra autopromoción, actitudes que a menudo yacen apenas debajo de la superficie. Con demasiada frecuencia, los que anhelamos ser líderes siervos terminamos sirviéndonos a nosotros mismos.

La orientación del servicio cristiano: 'por el bien de ustedes'

Para que nuestro liderazgo tenga integridad no solo es fundamental que tengamos una clara comprensión de nuestro llamado a servir a Dios, ante quien hemos de rendir cuenta, sino que también debemos reconocer que este llamado necesariamente incluye la misión de servir a otros. Cualquiera reconoce a un líder siervo cuando lo ve: son personas cuyo principal interés es el bien de otros; trabajan por el bienestar de la comunidad o de la organización a la que sirven; no ahorran esfuerzos para atender a otros.

Actuar de esta manera es más exigente si después nos enrostran lo que hacemos. 'Pues bien, si eso es lo que piensan, allá ellos. ¡Iré a donde se aprecie mi ministerio!'. Los creyentes en Corinto pusieron a prueba la actitud de liderazgo servicial del apóstol Pablo. Como se desprende de 2 Corintios 1, lo recibieron con sospecha y lo acusaron de hipocresía. A pesar de haberles llevado el evangelio, y a pesar de sus muchas manifestaciones de amor y de interés, la comunidad dudaba de sus intenciones, criticaba sus esfuerzos y rechazaba sus servicios.

El servir aun a aquellos que nos rechazan, es parte de nuestro llamado como cristianos. Al hacerlo, no hacemos otra cosa que seguir los pasos del Señor Jesús. Él reconoció la conexión entre servicio y rechazo: 'Porque ni aun el Hijo del hombre vino para que le sirvan, sino para servir y para dar su vida en rescate por muchos' (Marcos 10.45). Sin embargo, por alguna razón hemos perdido la perspectiva del servicio. Como lo expresan Ken y Barbara Hughes: 'Existe una perspectiva ... que define el éxito como una especie de señorío: sentarse en los asientos principales, ser el huésped homenajeado en los almuerzos, orador de multitudes, constructor de monumentos, coleccionista de títulos honoríficos. Como quiera que se llame, es una filosofía que valoriza la empresa de ser servido.'[1] Este no es un fenómeno nuevo: el apóstol Judas lo describió en su epístola. Haciendo eco del juicio de Ezequiel contra los líderes de Israel que se ocupaban de sí mismos en lugar de ocuparse del rebaño del Señor, califica a los falsos maestros como pastores que 'buscan solo su propio provecho.'[2]

¿Es mi actitud un 'aquí estoy yo' o 'aquí están ustedes'? Aunque no resulta fácil, vale la pena detenernos de vez en cuando y evaluar nuestras motivaciones. Tu responsabilidad en la iglesia insume una gran cantidad de tu tiempo y de tu energía; a fin de asumir esa función, renunciaste a cosas que te hubiera gustado hacer; y seguramente recibes críticas. Me temo que es así. No siempre la crítica tiene intención de lastimar, pero cuando has dado lo mejor de ti, cuando estás cansado y agotado, las críticas de otros pueden causarte heridas profundas. Ese es el mejor momento para confirmar si verdaderamente estás siguiendo en las pisadas de tu Señor.

Contamos con una frase sencilla que es útil recordar en ese momento, y una vez más la tomamos de Pablo. Ya hemos visto de qué manera conducía su vida bajo la mirada atenta de Dios, sirviéndole con fidelidad como buen mayordomo. Pero en varias ocasiones también dijo que su conducta estaba motivada por su interés en el bienestar de sus hermanos en la fe. Este es el indicador: 'Por el bien de ustedes.' Hago esto por ustedes. Cumplo mi responsabilidad hacia Dios en la medida en que cumplo mi responsabilidad hacia ustedes. Encontramos reunidas ambas motivaciones en la tierna declaración de Pablo en 2 Corintios 4: 'Pues a nosotros, los que vivimos, siempre se nos entrega a la muerte por *causa de Jesús* ... Todo esto es *por el bien de ustedes*' (4.11–15, énfasis agregado). En ese mismo capítulo Pablo dijo que eran 'servidores de ustedes por causa de Jesús' (4.5). Y cuando se ocupó de confrontar un agravio, Pablo declaró: 'Lo he perdonado por consideración a ustedes en *presencia de Cristo*' (2.10, énfasis agregado). Lo que expresa el apóstol es que todo aquello que le tocó vivir en su experiencia de ministerio, tanto los buenos momentos como los malos, fueron para bien de ellos porque fueron por el bien de Cristo. Al final de la carta el apóstol reitera este énfasis: 'Nosotros participamos de su debilidad, pero por el poder de Dios viviremos con Cristo para ustedes' (13.4). Todo es para beneficio de ellos.

¿Para el bien de ellos?, me pregunto a mí mismo. Ese es un indicador del liderazgo de servicio.

¿Cuáles son los rasgos que caracterizan el servicio realizado con integridad? Pablo los describe con claridad:

> En efecto, decidí no hacerles otra visita que
> les causara tristeza. Porque si yo los entristezco,
> ¿quién me brindará alegría sino aquel a quien yo
> haya entristecido? Les escribí como lo hice para que,
> al llegar yo, los que debían alegrarme no me causaran
> tristeza. Estaba confiado de que todos ustedes harían
> suya mi alegría. Les escribí con gran tristeza
> y angustia de corazón, y con muchas lágrimas,
> no para entristecerlos sino para darles a conocer
> la profundidad del amor que les tengo.
>
> 2 Corintios 2.1–4

Es posible que la disciplina a la que Pablo se refiere en el capítulo 2 sea en relación con el mismo asunto del cual había escrito en 1 Corintios: había allí una persona culpable de inmoralidad sexual. Sin embargo, más bien coincido con los comentaristas recientes que consideran que este capítulo probablemente se vincula con una afrenta que el propio Pablo había sufrido de parte de la iglesia de Corinto. Diremos más sobre esto en el capítulo 8. Lo que aparece claramente en las palabras de Pablo es la profunda emoción que sentía.

La vulnerabilidad en el servicio cristiano

Mientras Pablo escribía la carta, su corazón se quebrantó y los ojos se le llenaron de lágrimas. La razón por la que había cancelado la visita anunciada era que no podía enfrentar el impacto emocional. Conocemos esa experiencia: el ardor en el estómago cuando anticipamos la situación que debemos enfrentar. En el texto bíblico se destaca una familia de palabras. No hace falta mucha imaginación para captar la escena:

- 'tristeza' (2.1).
- 'entristezco' (2.2).
- 'causarán tristeza' (2.3).
- 'gran tristeza y angustia de corazón' (2.4).

No cabe duda que Pablo sentía una aguda ansiedad en el desempeño de su tarea pastoral. No desempeñaba un profesionalismo frío. Sentía pena y no tenía miedo de admitirlo. También hay otras referencias en su carta:

- 'Aun así, me sentí intranquilo' (2.13).
- 'Conflictos por fuera, temores por dentro' (7.5).
- 'Y como si fuera poco, cada día pesa sobre mí la preocupación por todas las iglesias' (11.28).

Esta clase de sufrimiento es inevitable en el servicio cristiano. Comprometerse con otros, especialmente en el sostén pastoral, conlleva aflicción. Pablo vivía de una manera transparente y vulnerable que haríamos bien en imitar. Observa la manera en que escribe a Timoteo: 'Tú, en cambio, has seguido paso a paso mis enseñanzas, mi manera de vivir, mi propósito, mi fe, mi paciencia, mi amor, mi constancia, mis persecuciones y mis sufrimientos …' (2 Timoteo 3.10–11). Ya sea que estuviera con sus amigos más cercanos, con las iglesias de las que se ocupaba, o aun con sus enemigos, Pablo no tenía temor de mostrar sus emociones. Se negaba a mantener una actitud profesional distante. 'Tú … has seguido paso a paso …'. 'Les escribí con gran tristeza y angustia de corazón, y con muchas lágrimas.'

Por supuesto, la vulnerabilidad tiene un costo, pero la desconexión no es una opción para el liderazgo que sigue el modelo de Cristo en el servicio. Es casi imposible mantenernos neutrales cuando estamos dedicando nuestra vida a servir a otros. Sin duda es necesario ocuparnos de nuestro cuidado personal, ya que la clase de vulnerabilidad que describimos tiene su precio. El agotamiento es producto de una suma de factores, pero uno de los más importantes se relaciona con el sufrimiento y la angustia que a veces cargamos. El camino de la sabiduría no consiste en evitar el costo del servicio sino en asegurar mecanismos para compartir la carga y descubrir los recursos que compensan el dolor y ayudan a preservar el equilibrio emocional.

Liderar con integridad inevitablemente comporta este tipo de vulnerabilidad. No podemos protegernos de ciertas exigencias en el ministerio cristiano. Solo podemos buscar el consuelo del Espíritu y el estímulo de nuestros colegas.

Amor sacrificado

> Les escribí con gran tristeza y angustia de corazón, y con muchas lágrimas, no para entristecerlos sino para darles a conocer la profundidad del amor que les tengo.
>
> 2 Corintios 2.4

La palabra 'amor' es enfática aquí, y el amor es una característica impresionante de la integridad de Pablo. Más adelante dice: 'De buena gana gastaré todo lo que tengo, y hasta yo mismo me desgastaré del todo por ustedes' (2 Corintios 12.15). A los tesalonicenses les dijo lo mismo: 'Así nosotros, por el cariño que les tenemos, nos deleitamos en compartir con ustedes no sólo el evangelio de Dios sino también nuestra vida. ¡Tanto llegamos a quererlos!' (1 Tesalonicenses 2.8).

¿Cómo respondes cuando alguien te ofende de alguna manera? ¿O cómo reaccionas ante alguien que actuó con injusticia, que habló en tu contra o que intentó dañar tu reputación? ¿Cómo reaccionas a quienes rechazan con cinismo tus intentos de ayudar? Esa era la situación en que se encontraba Pablo. Sin embargo, por la gracia de Dios, el apóstol demostró un amor profundo precisamente a esas personas. ¿De qué manera funciona esto? Como vimos en el capítulo anterior, lo que hace la diferencia es nuestro llamado. Damos cuenta en primer lugar a Dios. Y en la medida que tomamos esta responsabilidad en forma prioritaria, ella, a su vez, dará forma a nuestra preocupación por otros.

En su conmovedor discurso a los líderes de Éfeso, Pablo señala el vínculo entre nuestro sentido de responsabilidad ante Dios y nuestro sentido de servicio hacia su pueblo. 'Tengan cuidado de sí mismos y de todo el rebaño sobre el cual el Espíritu Santo los ha puesto como obispos para pastorear la iglesia de Dios, que él adquirió con su propia sangre' (Hechos 20.28).

John Sttot subraya el matiz trinitario de este versículo, cuando el apóstol destaca el profundo privilegio que significa entregarnos por completo al cuidado de otros, a la tarea de pastorear el rebaño por el cual Dios entregó a su Hijo.

> La espléndida declaración trinitaria de que el cuidado pastoral de la iglesia le pertenece a Dios (Padre, Hijo y Espíritu Santo) debería tener un profundo efecto en los pastores. Deberíamos sentirnos humildes al recordar que la iglesia no es nuestra, sino de Dios. Y eso debería inspirarnos a ser fieles a ella. … Son el rebaño de Dios Padre, comprado con la preciosa sangre de Cristo, y cuidado por pastores designados por Dios Espíritu Santo. Si las tres personas de la Trinidad están así consagradas al bienestar de las personas, ¿no deberíamos estarlo también nosotros?[3]

Seguramente Pablo tenía este impulso en lo profundo de su corazón mientras respondía a las críticas de los corintios. Ese mismo enfoque puede ayudarnos en aquellas situaciones en las que liderar a otros resulte particularmente exigente. No se trata de fabricar afecto hacia aquellos por los que soy responsable. Más bien es un amor que nace del Espíritu, una compasión que surge en forma natural cuando servimos a Dios, cuando reconocemos sus prioridades y anhelamos el bienestar de las personas por quienes Cristo dio la vida. Al escribir sobre la tarea de predicar, Colin Morris dice que cuando lo hacemos un factor esencial es el compromiso sacrificado: 'No es desde un púlpito sino desde una cruz que se pronuncian palabras llenas de poder. Para que un sermón sea efectivo debe ser tanto escuchado como visto. La elocuencia, las habilidades homiléticas y el conocimiento bíblico no son suficientes. Son la angustia, el sufrimiento, el compromiso, el sudor y la sangre los que marcan las verdades a las que los oyentes prestarán atención'.[4]

Para que un sermón sea efectivo debe ser tanto escuchado como visto.

Cuidado paternal

A lo largo de la carta descubrimos que Pablo estaba dispuesto a dar su vida por el bien de sus hijos amados. Parte de las calumnias contra él habían surgido, al parecer, del hecho de que no cobraba por sus servicios. 'Es un amateur, un aficionado,' decían. Pablo responde así a esa acusación: 'Considérenme como su padre espiritual. ¿Reclamaría un padre a sus hijos una paga por sus servicios como padre?' (ver 2 Corintios 12.14–15).

Es verdad que los niños a veces quieren recibir una paga por hacer tareas escolares o domésticas. Pero Pablo hace una declaración conmovedora: 'No son los hijos los que deben ahorrar para los padres, sino los padres para los hijos. Así que de buena gana gastaré todo lo que tengo, y hasta yo mismo me desgastaré del todo por ustedes. Si los amo hasta el extremo, ¿me amarán menos?' (12.14–15). Ésta era la razón por la que Pablo los convocaba a una relación más franca con él. 'Para corresponder del mismo modo —les hablo como si fueran mis hijos—, ¡abran también su corazón de par en par!' (6.13). En otros pasajes también usa la figura de la paternidad, y a los gálatas aun les dice que sufría labores de parto hasta que Cristo fuera formado en ellos (Gálatas 4.19). Pero el caso más obvio del lenguaje de paternidad lo encontramos en el pasaje de 1 Tesalonicenses al que ya nos hemos referido. 'Los tratamos con delicadeza. Como una madre que amamanta y cuida a sus hijos … Saben también que a cada uno de ustedes lo hemos tratado como trata un padre a sus propios hijos. Los hemos animado, consolado y exhortado a llevar una vida digna de Dios, que los llama a su reino y a su gloria' (1 Tesalonicenses 2.7, 11–12).

Pablo no tenía hijos biológicos, pero expresaba un inmenso amor y cuidado paternal hacia quienes habían llegado a la fe por medio de su ministerio. Sus apelaciones a los corintios expresan ternura: 'Les hablo como si fueran mis hijos—, ¡abran también su corazón de par en par!' (2 Corintios 6.13). Pablo experimentaba tanto las alegrías como las penas de cuidar a estos hijos. Sufría el dolor de ser rechazados por ellos; sentía congoja al disciplinarlos; recibía alegría cuando se restauraban.

Las imágenes del amor paternal son útiles cuando se trata de evaluar nuestra integridad en el servicio. A pesar de que soy consciente de mis debilidades como padre, sé que Margaret y yo compartimos el anhelo de que nuestras hijas reciban lo mejor. Creo que podemos decir que con gusto renunciaríamos a todo a cambio de su bienestar. De ninguna manera consideramos un sacrificio ocuparnos de ellas por un lapso de ya más de veinte años. Podemos comprender a Pablo cuando expresa que está dispuesto a gastar su vida por ellos. El servicio cristiano debe mostrar esas mismas cualidades. También debemos ser cuidadosos al hablar de 'paternidad', ya que todos somos hermanos en la fe, igualmente dependientes del Padre. Pero el vocabulario del cuidado paternal evoca las imágenes correctas: no se trata de servirnos a nosotros mismos sino de entregarnos nosotros mismos en servicio a otros. Una vez más Pablo declara que es 'para bien de ellos'. Como dice en el mismo pasaje: '¿Todo este tiempo han venido pensando que nos estábamos justificando ante ustedes? ¡Más bien, hemos estado hablando delante de Dios en Cristo! Todo lo que hacemos, queridos hermanos, es para su edificación' (12.19).

Su manera de acercarse a los hermanos en la fe está bañada de integridad. Más aun, podemos decir que su liderazgo es un reflejo de la persona de Jesús. Sigue el ejemplo de su amor sacrificado, de su actitud vulnerable en el servicio. Tal vez la descripción más explícita del estilo de liderazgo de Pablo es la que encontramos en 10.1: 'Por la ternura y la bondad de Cristo, yo, Pablo, apelo …'. Éstas son las actitudes que caracterizan la manera en que Cristo trata con nosotros, y este era el modelo que seguía Pablo en su liderazgo y en su ministerio. Pablo incluye estas cualidades de amabilidad y paciencia al enumerar los requisitos esenciales de quienes ejercen autoridad. No son rasgos que habitualmente aparezcan en las descripciones del liderazgo verticalista que muchas veces influyen en nuestra manera de pensar y en nuestro comportamiento, pero son actitudes de quienes respetan a los débiles y se interesan por los vulnerables.

Resumamos. Hemos visto en los capítulos 1 y 2 de 2 Corintios que Pablo hace su defensa ante una presión hostil. A pesar de ello, puede hablar delante de Dios y a la espera del juicio que él hará, con plena confianza de su compromiso y su integridad. Su deseo era hablar y actuar con sinceridad, con coherencia y con fidelidad. Deseaba mostrar estas actitudes en todo lugar, tanto público como privado, en ambientes cristianos o no cristianos. Y anhelaba que su relación con los corintios, que ahora le causaba dolor y agravio, estuviera marcada por el amor genuino. Estaba dispuesto a pagar el costo de su entrega, aun el de un posible rechazo; abría su corazón, no se mostraba defensivo; y se interesaba por los demás como un padre lo hace por sus hijos amados.

Este es el tipo de liderazgo auténtico que vale la pena. Quizás no aparezca en los titulares: servir agua y alcanzar sillas son acciones que quizás pasen desapercibidas. Pero estaremos mostrando la integridad de Jesucristo, quien tomó la toalla y el lebrillo. Servir a Dios con integridad es decir 'allí estás', en lugar de 'aquí estoy'. El enfoque siempre es 'para bien de ustedes'.

05 Las prioridades del evangelio

Recientemente me enviaron los resultados de una interesante encuesta que enumeraba las cualidades que la gente espera encontrar en un pastor perfecto. Esto es lo que resultó de la estadística:

- El pastor perfecto predica exactamente doce minutos.
- Tiene veintiocho años, pero hace treinta que predica.
- Trabaja desde las 8 de la mañana hasta medianoche, todos los días, y además es el sereno.
- Condena el pecado con frecuencia, pero él nunca ofende a nadie.
- Se viste bien, compra buenos libros, conduce un buen automóvil, es generoso con los pobres, y tiene un salario bajo.
- Hace quince llamadas por día a las familias de la congregación, visita a los que están hospitalizados o enfermos en sus casas, dedica todo su tiempo a evangelizar, y siempre está en la oficina cuando se lo necesita.
- Es apuesto.

Muchos pastores y obreros cristianos se sienten como los malabaristas: comienzan haciendo girar cuatro o cinco discos, y con cada nuevo disco los anteriores comienzan a tambalearse. Entonces corren de un lugar a otro del escenario para mantener a cada disco girando en su posición correcta. Una obrera cristiana admitió: 'Tengo la sensación de que lo único que me mantiene entera es estar en continuo movimiento.' Si se hubiera detenido, se colapsaba.

Todos estamos familiarizados con el desafío de asegurar que nuestro ministerio esté gobernado con las prioridades correctas. En Hechos 6 vemos que los apóstoles eran conscientes del peligro de ser distraídos de las tareas prioritarias, es decir, la oración y el ministerio de la Palabra. Es sabio que revisemos periódicamente las prioridades que dan forma a nuestro servicio cristiano. La defensa que Pablo hace de su trabajo en 2 Corintios 4 nos brinda discernimientos valiosos en cuanto a cuáles deben ser las prioridades.

Desafíos contemporáneos

Es bien conocido que nuestra cultura ha sufrido un cambio radical de perspectivas en relación con la verdad. En una ocasión hablé con una estudiante cristiana que había visitado a su mentor en la universidad. La joven enfrentaba algunas dificultades emocionales, y el consejo que recibió fue que se acostara con su novio. Ella respondió que era cristiana y que hacerlo estaba mal, a lo cual su mentor le respondió: 'Si es de ayuda, entonces es legítimo.' Esta es una premisa que no exige nada de nosotros, que se define según las pautas de nuestros deseos y conveniencias. La verdad se ha transformado en algo subjetivo. Es verdad porque me gusta, es verdad porque me sirve. Hoy la verdad es un artículo que puedo moldear para que sirva a mis propósitos. El resultado inevitable de esta perspectiva es que finalmente las personas y las sociedades pierden el rumbo. En lo moral, quedan confundidas y perplejas. Muchas personas buscan sinceramente una solución, algo que aquiete la incertidumbre en la que viven.

A la vez, debemos preguntarnos si la cultura general está influenciando a la iglesia cristiana y a sus líderes. ¿Hasta qué punto es el evangelio lo que moldea nuestra vida? ¿En qué medida es central la Palabra de Dios en nuestro ministerio y en la vida de la iglesia? En muchos lugares del mundo, la iglesia se ha alejado de estos compromisos fundamentales. Hace poco participé en una consulta convocada por Unión Bíblica, preocupada por la visible declinación en la lectura de la Biblia entre personas de todas las edades y niveles sociales. Una encuesta de Sociedades Bíblicas entre asistentes a iglesias en Gran Bretaña reveló que más de la mitad de los encuestados solamente una vez al año leía la Biblia fuera del culto. Podemos estar seguros de que nuestras congregaciones nunca serán maduras, que el impacto en la sociedad no será importante, y que la expectativa de una renovación se mantendrá lejana… a menos que estimulemos un deseo más fuerte de leer, entender y aplicar la Palabra de Dios a nuestra vida.

¿Es central la Palabra de Dios en nuestro ministerio y en la vida de la iglesia?

Hay también otro desafío: la tentación de desplazar el lugar central de Cristo. Muchos cristianos pierden fuerza, ya que en esta época pluralista resulta cada vez más difícil mantener el compromiso con el carácter único de Cristo. En muchos ámbitos se levantan propuestas de que diluyamos el mensaje de Jesucristo como Señor y Salvador del mundo.

Considerando estas razones, el pasaje de 2 Corintios 4 es importante para los líderes cristianos. Atrae nuestra atención hacia la prioridad de proclamar a Cristo, y de hacerlo con integridad. Pablo enfrentaba muchas tentaciones de hacer concesiones en el mensaje y en los métodos. Estaba recibiendo críticas sobre varios asuntos, de parte de un grupo de rivales en Corinto que tenían un punto de vista muy diferente sobre el liderazgo y el apostolado. Desafiaban sus credenciales como apóstol y su autoridad en el ministerio, invadían su territorio, se daban el crédito por los resultados de Pablo, y se burlaban de su capacidad como predicador.

Decían que Pablo no impresionaba como orador. En cambio, ellos desplegaban signos más dramáticos de espiritualidad, tenían un conocimiento superior y una retórica más llamativa que la de Pablo. Seguramente habrían calificado muy alto en la encuesta sobre el pastor perfecto. En la defensa que Pablo hace de sí mismo en 11.3–6 captamos algo del sabor de la crítica:

> Pero me temo que, así como la serpiente con su astucia engañó a Eva, los pensamientos de ustedes sean desviados de un compromiso puro y sincero con Cristo. Si alguien llega a ustedes predicando a un Jesús diferente del que les hemos predicado nosotros, o si reciben un espíritu o un evangelio diferentes de los que ya recibieron, a ése lo aguantan con facilidad. Pero considero que en nada soy inferior a esos 'superapóstoles'. Quizás yo sea un mal orador, pero tengo conocimiento. Esto se lo hemos demostrado a ustedes de una y mil maneras.

Por consiguiente, 2 Corintios 4 puede ayudarnos a entender las prioridades del ministerio de Pablo, cuatro características de su ministerio de la Palabra. Estas representan un aspecto fundamental de nuestro llamado como líderes. Una vez más, encontraremos aquí el perfil de un líder creíble.

Integridad, no engaño

> Hemos renunciado a todo lo vergonzoso que se hace a escondidas; no actuamos con engaño.
>
> 2 Corintios 4.2

Vimos en 2 Corintios 1 que Pablo tuvo que defender su ministerio contra aquellos que lo acusaban de no ser confiable, de haber hecho promesas que luego no cumplía. Pablo debió responder vigorosamente, porque sabía que la aceptación de la verdad del evangelio está ligada con frecuencia a la integridad del mensajero. Enfatizó que su 'sí' era 'sí'. Tanto él como su mensaje eran confiables. Esta puede ser la razón por la cual en el capítulo 4 habla una vez más sobre su integridad personal en relación con la del mensaje.

'Hemos renunciado a todo lo vergonzoso que se hace a escondidas; no actuamos con engaño.' Esta es una declaración sobre sus motivaciones en el ministerio. Todo estaba a la luz, sobre la mesa. No tenía intención de encubrir nada. Pablo se resistía a actuar como un político sin escrúpulos o un comerciante mentiroso. A diferencia de sus adversarios, Pablo era completamente transparente en su ministerio.

En una oportunidad leí la descripción que hacía un periodista especializado sobre el partido Demócrata Liberal en Gran Bretaña, al que a veces se critica porque un día propone una política y al día siguiente la modifica si se presenta un contexto diferente. 'Los demócratas liberales tienen un semblante simpático, aunque tienen dos semblantes,' dijo el periodista.

Pablo subraya que su conducta es coherente. No tenía dos caras, una en público y otra en privado. En el versículo 2, continúa diciendo que no ha distorsionado el mensaje para beneficio de sus propósitos. No lo diluía para hacerlo más aceptable a su audiencia; no lo adecuaba a los intereses de su grupo.

John Pilger sugirió recientemente que la primera víctima en la guerra es el periodismo veraz. Citó a Claud Cockburn: 'Nunca creas nada hasta que haya sido oficialmente negado.'[1] En cambio, lo que Pablo ponía por escrito era siempre honesto, nunca engañoso. Un poco antes ha dicho lo mismo en la carta, respecto a sus motivaciones; estas, insiste, se caracterizan por su integridad. 'A diferencia de muchos, nosotros no somos de los que trafican con la palabra de Dios. Más bien, hablamos con sinceridad delante de él en Cristo, como enviados de Dios que somos' (2.17). Podemos deducir que, a diferencia de él, ese grupo de 'traficantes' *sí* tenía métodos vergonzosos y engañosos. Pablo sugiere que esos predicadores pretendían conseguir conversos mediante el engaño. Quizás se parecían a los grupos ocultistas de su época, cuando promocionaban algún nuevo y misterioso producto religioso. Algunos comentaristas creen que este grupo se oponía a la forma tan franca con que Pablo presentaba el evangelio; ellos, en cambio, preferían envolver el mensaje en el misterio. Por supuesto, esto les daba la oportunidad de cobrar honorarios elevados cuando los oyentes deseaban que se les revelara el sentido del mensaje. También es posible que esta descripción de quienes traficaban con el evangelio hiciera alusión a los que diluían el vino con agua para sacar mejor provecho con su venta. Eran engañadores, pero no les importaba serlo. Eran comerciantes cuyo único interés era sacar provecho.

Pablo comienza con una declaración frontal. Renuncia a ser identificado con esos comerciantes, y niega cualquier intención de su parte de engañar a los oyentes o de diluir el mensaje. Por decisión personal, rechazaba el sostén material porque no quería ejercer sobre ellos ningún tipo de influencia. Su ministerio se caracterizaba por la integridad absoluta.

Aquí tenemos lecciones claras para los líderes. Tal vez no enfrentamos la tentación de servir en el ministerio por la ganancia material, si bien aquellos que recibimos un sostén de las iglesias o de las organizaciones cristianas tenemos que estar atentos a ese peligro. Pero seguramente enfrentamos en algún momento la tentación de aprovechar nuestro cargo para manipular a otros, de presentar sólo parte de la verdad, de dar discursos sobre la convicción y la conducta cristianas aunque nuestra vida no sea coherente con lo que predicamos.

Para destacar la seriedad de su llamado y de su envío, Pablo afirma una vez más que se desempeña en el liderazgo bajo la mirada de Dios. 'Hablamos con sinceridad delante de él [Dios] en Cristo' (2.17). Dios es testigo de su fidelidad, de su motivación sincera, de su integridad. Y reitera su responsabilidad de dar cuentas a Dios. 'Nos recomendamos a toda conciencia humana en la presencia de Dios' (4.2). No necesitamos ampliar este concepto, ya que en el capítulo 3 hemos desarrollado extensamente la importancia de rendir cuentas.

Fidelidad, no distorsión

> Hemos renunciado a todo lo vergonzoso que se hace a escondidas; no actuamos con engaño ni torcemos la palabra de Dios. Al contrario, mediante la clara exposición de la verdad, nos recomendamos a toda conciencia humana en la presencia de Dios.
>
> 2 Corintios 4.2

Pablo enfatiza una vez más su decisión de ser fiel al mensaje, de presentarlo tal como es. Nunca debemos distorsionar la Palabra de Dios, sino presentar francamente su verdad. La 'clara exposición' de la que habla Pablo hace referencia a una declaración llana, una manifestación completa de la verdad. Es lo opuesto del engaño. Significa 'mostrar las manos'. Es como el mago en el circo que se arremanga para mostrar que no tiene nada allí (no hay conejos, ¡apenas unos pelos!). Pablo insiste: no retenemos nada, más bien proclamamos con fidelidad todo el consejo de Dios. Esta es la fuerza del versículo 2: no torcemos el mensaje para agradar a nuestros oyentes, sino que presentamos *la verdad.* No adornamos la verdad para ganar popularidad, sino que exponemos el mensaje claramente. No reservamos el mensaje para una elite, sino que nos recomendamos *a toda conciencia humana.*

En 2 Corintios 11, percibimos la preocupación de Pablo en torno a los predicadores defectuosos en Corinto. Usaban el lenguaje conocido pero se trataba de otro Jesús, de un espíritu diferente, de un evangelio diferente. No sabemos bien qué pudo haber sido este mensaje. Algunos comentaristas sugieren que se trataba de un evangelio que promocionaba el poder, no la debilidad; un mensaje que prometía triunfo, no sufrimiento. Pablo se declara comprometido con la presentación directa, clara y fiel de la verdad. Necesitamos preguntarnos si nuestro ministerio se caracteriza por esa clase de fidelidad. Nos encontramos con todo tipo de tentaciones de no ser fieles al mensaje: la aparente locura de la cruz, el supuesto fanatismo de presentar la singularidad de Jesucristo o la acusación de cobardía intelectual de quien se mantiene fiel a la autoridad de la Palabra de Dios.

Por supuesto, nuestra firmeza dependerá de nuestra actitud hacia la revelación de Dios en Cristo y en las Escrituras. Si de verdad creemos en la singular autoridad de la revelación de Dios, no tenemos atribución alguna para colocarnos por encima de su Palabra, ni seleccionar aquello en lo que deseamos creer y descartar las secciones menos atractivas. Por el contrario, nos ubicamos humildemente bajo la autoridad de la Palabra, permitiendo que su verdad modele nuestro pensamiento y nuestro comportamiento.

Humildad, no autopromoción

> No nos predicamos a nosotros mismos sino a Jesucristo como Señor; nosotros no somos más que servidores de ustedes por causa de Jesús.
>
> 2 Corintios 4.5

Hace un tiempo se publicó en *Christianity Today* un artículo donde se comentaba que, por lo menos en algunos lugares del mundo occidental, estaba surgiendo en la iglesia una actitud consumista. Se la describía como una 'mentalidad McIglesia', que empujaba a los líderes y a los pastores a promocionarse a sí mismos y a su iglesia con una actitud casi competitiva. Comentaba que las congregaciones seleccionan los sermones de manera similar a la que se selecciona un restaurante. Hoy, McDonalds; mañana, Burger King.

Sin duda, en tiempos de Pablo había problemas con los cultos personalistas y con la tendencia a la promoción personal. Ya hemos mencionado cómo se expresaban: 'Pero él en persona no impresiona a nadie, y como orador es un fracaso' (10.10). Y Pablo admite: 'Quizás yo sea un mal orador' (11.6). En cambio sus rivales en Corinto estaban interesados en la imagen personal, la promoción, la elocuencia, y la habilidad retórica. Pablo no teme confrontarlos de manera directa. 'No nos predicamos a nosotros mismos', dice (4.5). No nos promocionamos a nosotros mismos. 'No buscamos el recomendarnos otra vez a ustedes' (5.12). No pretendemos construir una base de poder personal. Y más adelante dice: 'No es aprobado el que se recomienda a sí mismo sino aquel a quien recomienda el Señor' (10.18).

Los templos se convierten en teatros, el espectáculo importa más que el contenido.

Ya lo ha dicho de manera muy directa en su primera carta. 'Cuando fui a anunciarles ... no lo hice con gran elocuencia y sabiduría ... Me propuse más bien, estando entre ustedes, no saber de cosa alguna, excepto de Jesucristo, y de éste crucificado' (1 Corintios 2.1–4). Y aquí, en 2 Corintios 4, expresa lo mismo: 'No nos predicamos a nosotros mismos sino a Jesucristo como Señor'. Observemos el equilibrio teológico: en 1 Corintios la mirada está puesta en Jesucristo crucificado; y en 2 Corintios, en Jesucristo como Señor. Ése era el mensaje esencial que Pablo deseaba proclamar: Jesucristo como Salvador y Señor. Pablo no quería que nada se interpusiera con ese mensaje. Esa era la proclamación autorizada que realmente importaba. Como escribió James Denny: 'No tiene derecho a predicar quien no esté en condiciones de hacer declaraciones poderosas sobre Jesucristo Hijo de Dios, declaraciones sin ambigüedad.'

Estoy seguro de que estas palabras deberían presentar un desafío a nuestro liderazgo. En una época que está pendiente de los medios, no causa sorpresa que las iglesias y las organizaciones cristianas procuren tener líderes carismáticos, con personalidad, calidez y convicción. Cuando las organizaciones cristianas deben trabajar duro para persuadir a las iglesias o a las entidades a darles apoyo financiero, es frecuente ver descripciones de los ministerios en términos de liderazgo efectivo y ministerios poderosos. En la era del MTV, los templos se convierten en teatros, el espectáculo importa más que el contenido, y se honra a los héroes evangélicos y a sus ministerios. En consecuencia, no debemos pasar por alto las palabras finales en 4.5: 'Nosotros no somos más que servidores de ustedes por causa de Jesús'. Ese era el sentimiento de identidad que Pablo tenía en su liderazgo y en su proclamación de Jesucristo como Señor. No busco ganancia personal; no pretendo gloria; no intento agrandar mi ego ni favorecer mi reputación. Llevo adelante este ministerio como esclavo de ustedes.

Estos versículos demuestran una combinación poderosa de autoridad y humildad: predicamos a Jesucristo como Señor, y nos presentamos a nosotros mismos como esclavos de ustedes. Los líderes enfrentan constantemente el peligro de la autopromoción. A menudo se preocupan por la posición que alcanzan, como veremos en el capítulo 11. De manera similar, existe el riesgo de que las iglesias o que los ministerios estén construidos en torno a individuos, y que las personas se reúnan por las razones equivocadas. Pablo dijo en su primera carta que la fe no debe descansar en la sabiduría humana sino en el poder de Dios. En consecuencia, hay dos elementos vitales en el versículo 5: presentar a Cristo con fidelidad y coraje, y servir a otros con humildad. El evangelista de origen asiático y maestro de Biblia, Ajith Fernando, lo expresa de la siguiente manera: 'Creo que uno de los desafíos más grandes que enfrenta la iglesia en esta era pluralista es que haya cristianos que prediquen el evangelio único y fidedigno, y que además demuestren una actitud radical de servicio.'[2]

Como reacción a la enseñanza de Pablo, sus críticos seguramente hubieran presentado otra acusación: que la prédica del apóstol no producía resultados. Las técnicas que ellos empleaban, en cambio, motivaban una respuesta mucho más notable. Pablo se anticipa a esta acusación.

Certezas, no ilusiones

> Pero si nuestro evangelio está encubierto, lo está para los que se pierden. El dios de este mundo ha cegado la mente de estos incrédulos, para que no vean la luz del glorioso evangelio de Cristo, el cual es la imagen de Dios.
>
> 2 Corintios 4.3–4

Estos versículos nos recuerdan dos realidades de las que Pablo estaba seguro. En primer lugar, *la realidad de la ceguera espiritual*. Es posible que Pablo esté haciendo aquí el mismo contraste que hizo en el capítulo 3, cuando dijo que el pueblo judío no entendía sus propias Escrituras. Tenían un velo que cubría su mente y su corazón, y el Espíritu Santo era el único que podía quitarlo.

De la misma manera, en el capítulo 4 aplica esta verdad a todos los hombres y mujeres, y bien sabemos que esa es la realidad. Son muchas las personas que muestran resistencia espiritual. Es posible que en estos versículos Pablo esté expresando que la gente ha tomado como dios al espíritu de la época, y que por causa de esa devoción están ciegos a la verdad. Aquí es posible detectar una referencia a la influencia satánica. En la parábola del sembrador, Jesús se refiere a la reacción de los oyentes a su Palabra: 'Luego viene el diablo y les quita la palabra del corazón, no sea que crean y se salven' (Lucas 8.12). Tal vez no nos referimos a esta verdad en el siglo veintiuno, pero Pablo y Jesús dicen claramente que hay una oposición satánica al mensaje. Hay una fuerza maligna de carácter personal que actúa en el mundo y que ciega la mente de las personas y cierra sus oídos. Por eso nuestro ministerio de prédica y enseñanza, nuestra tarea personal de compartir las buenas nuevas, la difusión del evangelio, deben estar acompañadas de nuestra intercesión a favor de los que oyen. Pablo no tenía ilusiones. Muchos de los que oyen el evangelio lo descartan como algo irrelevante. El evangelio está 'encubierto' para aquellos que perecen, los que han perdido el rumbo (4.3).

Es importante advertir que Pablo no subestima al enemigo, que 'ha cegado la mente de estos incrédulos' (4.4). Todos los ministerios cristianos deben ser realistas en cuanto a esto. Hay una dimensión espiritual en la evangelización: no es simplemente un ejercicio de *marketing*, donde nos proponemos vencer la resistencia del cliente y atraerlo con la mejor presentación del producto. Hay también otro asunto profundo al que Pablo se refiere en este pasaje, otra certeza en nuestro ministerio.

En segundo lugar, la naturaleza de la iluminación espiritual. En sus palabras, 'Porque Dios, que ordenó que la luz resplandeciera en las tinieblas, hizo brillar su luz en nuestro corazón para que conociéramos la gloria de Dios que resplandece en el rostro de Cristo' (4.6). Mientras cumplimos nuestra parte proclamando a Jesucristo como Señor, contamos con la promesa de que Dios hace brillar su luz en el corazón y la mente de las personas. De la misma manera que lo hizo en la creación, Dios ahora resplandece con su luz en el corazón de los oyentes y les revela la verdad acerca de Jesús. Todo este pasaje es cristocéntrico. La luz que disipa la oscuridad del corazón humano se encuentra en el rostro de Jesucristo. Pablo demuestra que la única manera de conocer a Dios es conocer a Jesucristo. Cristo es la imagen de Dios, y es quien nos revela la gloria de Dios (4.4). Sólo predicando a Cristo, y sólo mediante el poder iluminador de su espíritu, es posible llevar a hombres y mujeres del reino de la oscuridad al reino de la luz. Pablo se muestra realista en cuanto al dios de esta era, pero en la misma medida tiene pleno optimismo en cuanto al poder del mensaje para impactar en la vida de la gente.

Es semejante a la enseñanza de Jesús en la parábola del sembrador, a la cual ya nos hemos referido. La metáfora de la siembra es una ilustración poderosa sobre el ministerio de Jesús y el crecimiento del reino. El acto de sembrar no parece atractivo; la semilla es vulnerable y no se ven resultados rápidos. Aun así, el ministerio de Jesús, entonces y ahora, tiene esa calidad. ¿Cuál es el agente del cambio? Jesús responde: 'La semilla es la palabra de Dios' (Lucas 8.11). Lo que hará llegar el reino de Dios es la prédica de sus buenas noticias.

Necesitamos esforzarnos para encontrar nuevas estrategias que nos permitan alcanzar a quienes nos rodean, nuevos puentes para la apologética posmoderna, nuevos ambientes atractivos para los oyentes, nuevas presentaciones creativas, estilos más poderosos para el evangelismo personal, y mucho más. Pero la semilla es la Palabra; el reino sólo avanzará en la medida en que esa Palabra del evangelio sea proclamada, y, por la intervención del Espíritu, provoque una reacción en el corazón y la mente de quienes están dispuestos a escucharla. El evangelio es el poder de Dios para salvación de todo aquel que cree.

Estas son, entonces, las prioridades del evangelio en nuestro ministerio. Quizás nuestra responsabilidad en la iglesia sea la de un grupo pequeño, o de la consejería personal, o del ministerio de jóvenes; tal vez seamos maestros o predicadores, o responsables del cuidado de los niños en la iglesia o en el hogar; tal vez nuestro servicio se realice en una oficina atareada o en la guardia de un hospital; pero todos estamos llamados a cumplir la tarea de presentar a Jesús con fidelidad. Y debemos mostrar integridad tanto en el mensaje como en el método. 'No nos predicamos a nosotros mismos sino a Jesucristo como Señor; nosotros no somos más que servidores de ustedes por causa de Jesús.'

Ahora, tu turno...
Sé responsable

- Al reflexionar sobre aquel día en el que rendiremos cuenta sobre nuestra vida, Pablo demuestra que entiende lo que significa 'el temor de Dios'. ¿Qué significa para ti ese temor reverente?

- ¿Cuentas con algunas personas que te brinden sostén y a las que debas rendir cuentas, en un nivel personal? Si no las tienes, ¿cómo podrías desarrollar vínculos de ese carácter?

- ¿De qué manera puede la convicción firme de haber sido llamados por Dios ayudarnos a servir a otros con mayor compromiso?

- En el servicio que cumples para Cristo, ¿sufres alguna presión para disminuir el lugar central de Cristo o la autoridad de las Escrituras? ¿De qué manera podrías guardar y mantener estas prioridades?

LIDERAZGO
Y COMUNIDAD

06 El ejercicio de la autoridad

En una visita reciente al departamento de educación en una universidad, observé el anuncio de un programa especial, que se ofrecía a profesores que se sintieran bajo mucha presión. El enfoque del curso era 'entrenamiento en afirmación'. El programa, de tres semanas de capacitación en servicio, tenía como meta dar a los docentes las herramientas para enfrentar la agresión cotidiana en el aula, proyectando para eso una imagen personal más agresiva. Los jugadores de futbol realizan un entrenamiento similar durante los momentos previos a una confrontación, mientras entran en calor y se apiñan murmurando palabras de enojo sobre los oponentes, con lo cual refuerzan la determinación de vencerlos. Afirmación, dominio, seguridad, autoconfianza: estas son las palabras que con frecuencia se asocian con el estilo de liderazgo en el mundo no religioso. Como en todas las áreas de la vida cristiana, es fácil que nos adaptemos al molde del mundo a la hora de pensar en los temas de liderazgo y autoridad en la iglesia. Al mismo tiempo, tanto en la cultura general como en la comunidad cristiana se observa cierta reacción en contra de la mentalidad de superestrellas: nos hemos vueltos cínicos respecto a la autoridad e incómodos frente a cualquier tipo de jerarquía. Rechazamos el liderazgo fuerte, y hay cada vez menos respeto por los políticos y por los procesos políticos. Algunos observadores sugieren que el mundo occidental enfrenta una crisis de liderazgo, y que hay cada vez menos personas dispuestas a aceptar el desafío de ejercer el liderazgo en un ambiente de cinismo, de sospechas y de constante intromisión de los medios. En ese contexto, practicar un liderazgo recto en la comunidad cristiana es un desafío exigente. Ejercer autoridad con la marca de la integridad cristiana es un enorme desafío para todos. Una vez más, Pablo ofrece importantes lecciones, en la sección de cierre de su carta, desde el capítulo 10 en adelante.

El mundo occidental enfrenta una crisis de liderazgo.

El cambio de tono en los cuatro últimos capítulos de la epístola es tan notable, que los comentaristas tienen opiniones variadas en cuanto a la manera en que fue elaborada. ¿Son estos capítulos una carta independiente, cuando Pablo les escribió 'con gran tristeza', como menciona en el capítulo 2? ¿O había recibido Pablo noticias desde Corinto, que habían producido una conmoción tan fuerte en él, que lo motivaron a escribir de manera firme, y advertir a los corintios sobre los peligros de los falsos apóstoles, cuya influencia se mostraba cada vez más fuerte? Cualquiera fuesen las razones, cuando llegamos a estos capítulos finales hay un cambio marcado en el ánimo y el estilo de la carta.

Los maestros impostores en Corinto tenían ciertas expectativas sobre lo que debía ser un líder espiritual, expectativas modeladas por la cultura griega de la época. Se esperaba que los líderes fueran oradores elocuentes que tuvieran una presencia física atractiva; la palabra 'debilidad' no estaba en su vocabulario. En su función de gurúes espirituales, había en ellos cierto halo 'sobrenatural'; declaraban tener experiencias místicas, revelaciones extraordinarias, y una vía de comunicación espiritual directa que los señalaba como individuos especiales. Vemos que Pablo responde con una serie de argumentos apasionados, cada uno de los cuales nos revela algo, no sólo del llamado apostólico de Pablo, sino también de las características que deberíamos encontrar en un líder cristiano genuino.

Lo que resulta claro es que Pablo no está protegiendo su honor herido, ni le preocupa defender su reputación a cualquier precio; sus motivaciones nacen de una preocupación muy diferente. Está profundamente afligido por el bienestar de los creyentes corintios, y quiere estar seguro de que no serán seducidos por nociones falsas del evangelio. Su reacción enérgica no está motivada por su irritación personal, sino por la compasión hacia otros y por la convicción de que debía defender el evangelio. Por eso se dirige a dos audiencias: a los falsos maestros y a los corintios en conjunto. Quizás por eso en el primer versículo del capítulo 10 dice: 'Yo, Pablo', porque representa una declaración de su autoridad ante la iglesia a la cual está preparando para su próxima visita. 'Por la ternura y la bondad de Cristo, yo, Pablo, apelo a ustedes personalmente; yo mismo que, según dicen, soy tímido cuando me encuentro cara a cara con ustedes pero atrevido cuando estoy lejos'.

Hay cuatro rasgos de la autoridad genuina que aparecen en la primera parte de 2 Corintios 10, y que son extremadamente relevantes para cualquier tipo de servicio cristiano.

El modelo de autoridad: la bondad de Cristo

Al enfrentar las acusaciones que le hacían los falsos profetas, Pablo se encontraba ante un dilema. La situación es similar cuando cualquier figura pública recibe críticas. Los políticos que se enfrentan a una campaña de difamación tal vez no estén seguros de cuál sea la mejor manera de defenderse, y Pablo estaba en una situación similar. Por un lado, sus críticos daban a entender que Pablo no era más que palabrero, que era un debilucho que no impresionaba en absoluto, y que, aunque pretendía ejercer autoridad por medio de sus cartas, en realidad era un blandengue. Que ladraba mucho pero no mordía. Que al encontrarse cara a cara con ellos, se mostraba 'tímido' (10.1). Si Pablo no hacía nada respecto a esas acusaciones, sólo confirmaría las sospechas de los corintios: que no era un auténtico apóstol, que era una persona floja de rodillas débiles, un impostor. Por otro lado, si respondía a las críticas escribiendo una epístola agresiva, sólo aumentaría sus problemas. 'Ahí va otra vez,' dirían los corintios, 'escribe con osadía, pero desde una distancia segura de varios cientos de kilómetros'.

¿Cuál es nuestra motivación para ejercer liderazgo?

Las palabras iniciales del capítulo, entonces, son importantes. Pablo toma a Cristo mismo como modelo de su liderazgo. Su apelación a los corintios se basa en una actitud pura: 'por la ternura y la bondad de Cristo' (10.1). Es notable que el lenguaje que usa se relacione con una bondad y humildad semejantes a la de Cristo. Las cualidades que Pablo desea que identifiquen en él no son la insolencia ni el tono vociferante de un conductor de espectáculo, ni la oratoria manipuladora de un político ni los logros heroicos de un dios griego. Quiere ser identificado con Jesús, con la fuerza controlada del Señor encarnado. Uno de los aspectos más difíciles de liderazgo cristiano es el de enfrentar la crítica hostil. ¿Cómo reaccionamos? Cuando estamos agotados, cuando nos hemos entregado por completo a los demás y lo que recibimos son expresiones anónimas de rechazo, no es fácil mostrar la ternura de Cristo. Este es un buen versículo en el que podemos reflexionar cuando enfrentamos conflictos o desafíos teológicos de cualquier tipo. ¿Cuál es nuestra motivación? ¿Queremos ganar a las personas, o queremos quitarle puntos a nuestro rival o incrementar nuestra reputación? Me temo que en muchos casos esta última actitud puede ser un horrible componente de la subcultura evangélica. Cuando algunas personas discuten sobre Biblia, uno tiene la impresión de que, aunque parezcan movidos por la necesidad de ser fieles a las Escrituras, sus actitudes reflejan algo por completo diferente. No muestran amabilidad sino una actitud agresiva, fría, casi despiadada. Su palabra está envuelta en el lenguaje de la fidelidad al evangelio, pero no representa de manera genuina el evangelio de Cristo. La actitud de tales defensores de la fe es una burla a la verdad que pretenden defender.

Por supuesto, la ternura y la bondad no son actitudes necesariamente pasivas. Cuando la ocasión lo requería, Jesús estaba dispuesto a hablar de manera frontal y a actuar de manera vigorosa. Lo mismo Pablo. Algunos escritores sugieren que la ternura de Cristo a la que alude Pablo describe la decisión de ejercer paciencia en lugar de pronunciar juicio; está dándoles a los corintios una última oportunidad de arrepentirse. (Podría ser algo similar al comentario de Pedro en 2 Pedro 3: la demora de Dios para actuar no es resultado de su impotencia sino de su misericordia y paciencia, 'porque no quiere que nadie perezca'). Pablo apela a los corintios para que pongan la casa en orden, a fin de que, cuando los visite nuevamente, no tenga necesidad de aplicar tanta disciplina como en este momento anticipa. 'Les ruego que cuando vaya no tenga que ser tan atrevido como me he propuesto ser con algunos que opinan que vivimos según criterios meramente humanos' (10.2). Pueden estar seguros de que actuará con firmeza si fuera necesario. 'Y estamos dispuestos a castigar cualquier acto de desobediencia' (10.6). Pero su actitud no es como la de los falsos profetas.

Cualquiera sea nuestra responsabilidad en la comunidad cristiana, nuestra manera de acercarnos a otros debiera tomar el ejemplo de la ternura y la bondad de Cristo. En situaciones donde hay desacuerdo, o en el difícil ejercicio de la disciplina eclesial, el estilo y la actitud de nuestro servicio siempre debiera regirse por una humildad semejante a Cristo.

El fundamento para ejercer autoridad: el evangelio de Cristo

En varias de sus cartas, Pablo menciona que los cristianos están equipados para la guerra espiritual con armas que Dios provee.

Estas incluyen la verdad del evangelio, la Palabra de Dios, la oración y la fe, todas ellas ungidas con el poder del Espíritu Santo. Aquí Pablo las describe como armas poderosas y efectivas (10.4). Pueden derribar fortalezas, lo cual quizás sea un eco de Proverbios 21.22: 'El sabio conquista la ciudad de los valientes y derriba el baluarte en que ellos confiaban.'

El vocabulario que utiliza en esta sección nos lleva a la conclusión de que Pablo está particularmente preocupado por la batalla ideológica, la batalla por la mente y el corazón de los creyentes. Le interesa demostrar a los falsos profetas que la sabiduría de este mundo es necedad, y que el verdadero apostolado no está fundado en la sabiduría humana ni en la soberbia intelectual, sino en el evangelio de Cristo. Expresa algo muy similar en 1 Corintios 1: '¿Dónde está el sabio? ¿Dónde el erudito? ¿Dónde el filósofo de esta época? ¿No ha convertido Dios en locura la sabiduría de este mundo? ... [Dios] tuvo a bien salvar, mediante la locura de la predicación, a los que creen' (1.20, 21).

Lo central es el evangelio mismo. Venceremos a estos enemigos de la verdad con una presentación clara del evangelio. 'Destruimos argumentos y toda altivez que se levanta contra el conocimiento de Dios, y llevamos cautivo todo pensamiento para que se someta a Cristo' (10.5). El mensaje del evangelio tiene poder para derribar aquellas fortalezas que se resisten al gobierno de Cristo, y en consecuencia Pablo se propone llevar cautivo todo pensamiento para que se someta a Cristo. Ese era el problema de los falsos profetas: se negaban a someterse en obediencia a Cristo (10.6). Nuestro trabajo es serio y exigente: consiste en destruir argumentos y llevar cautivo todo pensamiento, mediante la proclamación del Jesús crucificado y resucitado, y al hacerlo, encarnar ese mensaje. No se trata solamente de una guerra intelectual. Por el poder del evangelio y del Espíritu, la auténtica guerra espiritual consiste en confrontar cada obstáculo que impida una completa lealtad a Jesucristo.

Ser íntegros en nuestro liderazgo, entonces, significa tener un firme compromiso con la verdad de la Palabra de Dios. Siento una leve incomodidad cuando uso el vocabulario de guerra, por razones a las que ya me he referido. No debe entenderse en el sentido de una agresión, porque, como hemos visto, el lenguaje es el de la ternura y de la bondad. Ese es el punto central del argumento de Pablo: no debemos librar batallas como lo hace el mundo. Como líderes nos negamos a utilizar las tácticas de la intimidación, la fuerza personal, o la amenaza de la violencia. Vivimos bajo parámetros completamente diferentes, y servimos a los demás según valores diferentes.

Sin embargo, el lenguaje de guerra aparece en 2 Corintios, y por una razón. El ministerio cristiano está centrado en el evangelio, y habrá muchas ocasiones en las que tendremos que asegurarnos de que cada aspecto de nuestro trabajo esté enraizado en la Palabra de Dios. Ya nos ocupamos de esto cuando analizamos las prioridades que Pablo reconocía en el evangelio, en 2 Corintios 4. Y aquí nuevamente vemos su importancia. Todo ejercicio de la autoridad debe estar fundado en la autoridad del evangelio.

El propósito de la autoridad: la edificación del cuerpo de Cristo

> No me avergonzaré de jactarme de nuestra autoridad más de la cuenta, autoridad que el Señor nos ha dado para la edificación y no para la destrucción de ustedes.
>
> 2 Corintios 10.8

A continuación Pablo describe el fundamento de su apostolado. No tiene temor de ser puesto a prueba, pero le interesa definir los criterios correctos para esa evaluación. En primer lugar, como todo verdadero creyente, pertenece a Cristo: 'Si alguno está convencido de ser de Cristo, considere esto de nuevo: nosotros somos tan de Cristo como él' (10.7). Si había algunos en Corinto que sacaban a relucir sus credenciales espirituales, debían recordar que Pablo se había encontrado con el Cristo resucitado, que éste lo había llamado y comisionado, tal como lo explicó en forma acabada en la primera parte de su carta. Y no solo eso: además él era su padre espiritual, como vimos en el capítulo 4, y en consecuencia tenía sobre ellos una autoridad que Dios le había dado. ¿Para qué le había sido dada esa autoridad? No para destruirlos, sino para fortalecerlos.

Pablo dice lo mismo en el capítulo 13: '... autoridad, la cual el Señor me ha dado para edificación y no para destrucción' (13.10). Lo que podría parecer una palabra dura, está motivada por el deseo de actuar de manera constructiva. Pablo se muestra ansioso de que no lo interpreten mal. Las reprimendas en apariencias severas no tienen la intención de asustarlos (10.9) sino de edificarlos (10.8). La disciplina paternal que debe utilizar es un correctivo necesario si desean ser fieles al evangelio.

Una vez más, este es un excelente consejo para nosotros. Cualquiera sea nuestro campo de servicio cristiano, tenemos el llamado de animar y edificar a otros; el ejercicio de nuestros dones no tiene como meta inflar nuestro ego o impresionar a las multitudes, sino edificarnos unos a otros. Analizaremos esto con más detalle en el próximo capítulo.

El contexto de la autoridad: una vida como la de Cristo

Pablo agrega una característica más en el ejercicio de su autoridad: se conduce con integridad. Aunque se lo acusa de ser una cosa en el papel y otra en persona (10.10), él insiste en que es plenamente coherente. Cumplirá su palabra: 'Tales personas deben darse cuenta de que lo que somos por escrito estando ausentes, lo seremos con hechos estando presentes' (10.11). Disciplinará a aquellos que lo necesiten, y castigará la desobediencia (10.6).

En 2 Corintios 11 Pablo responderá de manera más directa a la sugerencia de que 'él en persona no impresiona a nadie, y como orador es un fracaso' (10.10). Las acusaciones formaban parte de la campaña de murmuración en contra de Pablo, y sin duda iba en aumento en Corinto. Los cristianos corrían el riesgo de creer en la exageración de los 'superapóstoles', cuya perspectiva del liderazgo cristiano estaba más influenciada por los modelos mundanos que por Cristo.

Una autoridad dada por Dios, no para destruirlos, sino para fortalecerlos.

Esa es una de las razones por las cuales esta sección de la carta es tan valiosa para nosotros. En nuestro mundo, los líderes cristianos pueden sufrir la tentación de construir su reputación y su estilo a partir de las expectativas superficiales de la cultura contemporánea. En lugar de la ternura y de la bondad de Cristo, se vuelven dictadores, 'pequeños dioses de lata', como lo expresó en una ocasión J. B. Phillips. En lugar de usar las armas del evangelio de la verdad, dependen de su fuerza personal, del brillo del espectáculo, o de la manipulación retórica propia de un vendedor. En lugar de edificar a sus hermanos en la fe, se vuelven autoritarios; carecen de la humildad que distingue a un siervo de Cristo. No muestran en su vida la imprescindible integridad entre palabras y hechos.

Esta sección representa una descarga inicial de Pablo en su sostenido ataque contra los falsos profetas, pero ha demostrado las cualidades que todo siervo fiel al Señor debería imitar: el compromiso con la bondad de Cristo, con el evangelio de Cristo, con el cuerpo de Cristo y con la vida de Cristo.

07 La edificación de la comunidad

Hace algunos años acepté una designación pastoral en una congregación, y el primer domingo que estuve allí, un hermano mayor en la fe se acercó y me ofreció una palabra de estímulo. 'El pueblo de Dios te romperá el corazón,' dijo. No era lo que yo quería escuchar el primer día, pero descubrí que era una exhortación oportuna. Cualquier persona convocada al liderazgo cristiano en cualquier terreno, pronto advertirá que de vez en cuando cuestionarán sus motivaciones, pondrán en duda sus criterios y evaluarán sus palabras. ¿Te parece una opinión demasiado dura sobre la comunidad cristiana? Tal vez. Pero no es necesario hablar con demasiadas congregaciones, y especialmente con sus líderes, para descubrir que la iglesia es una institución tan humana como divina. Tiene sus luchas como cualquier familia, pero también disfruta de abundantes alegrías compensatorias. El propósito de Dios es que, en medio de golpes y empujones, la comunidad cristiana crezca hacia la madurez. Liderar con integridad es un desafío maravilloso, y en este capítulo exploraremos a lo largo de 2 Corintios para descubrir varias cualidades del liderazgo.

El liderazgo que fortalece a otros

A pesar de la relación complicada de Pablo con los corintios, vemos en el capítulo 4 que el apóstol mantenía su enfoque principal: 'Todo esto es por el bien de ustedes' (4.15).

- No me avergonzaré de jactarme de nuestra autoridad más de la cuenta, autoridad que el Señor nos ha dado para la edificación y no para la destrucción de ustedes. 2 Corintios 10.8

- ¿Todo este tiempo han venido pensando que nos estábamos justificando ante ustedes? ¡Más bien, hemos estado hablando delante de Dios en Cristo! Todo lo que hacemos, queridos hermanos, es para su edificación. 2 Corintios 12.19

- Por eso les escribo todo esto en mi ausencia, para que cuando vaya no tenga que ser severo en el uso de mi autoridad, la cual el Señor me ha dado para edificación y no para destrucción. 2 Corintios 13.10

Su interés era la restauración de los creyentes. Como apóstol, el propósito de su ministerio era que alcanzaran la madurez. Su preocupación era fortalecerlos, y este tema es el que resuena a lo largo de la carta.[1] El verdadero liderazgo cristiano procura el bienestar de los demás, y una de las mayores alegrías es observar que otros progresan. Si el grupo o la congregación de la que uno está a cargo se desarrollan de una manera saludable, si maduran en sus relaciones y alcanzan sus metas, esas son para el líder las mejores recompensas.

Las personas que lideran con integridad consideran que esta es su meta principal. Ya hemos comentado que el énfasis del liderazgo es el servicio: nuestro servicio a Cristo y nuestro servicio a otros. La intención principal es la de capacitar a otros para que respondan al llamado de Dios para ellos. Nuestra primera preocupación no debiera ser la del reconocimiento personal, la alabanza o la admiración de la multitud, sino el crecimiento de aquellos a quienes estamos llamados a servir. Los dones del liderazgo se dan a la iglesia precisamente con este propósito: 'a fin de capacitar al pueblo de Dios para la obra de servicio, para edificar el cuerpo de Cristo' (Efesios 4.12).

Sin embargo, como ya hemos visto, la tarea de ayudar a los corintios estaba sembrada de dificultades y de enorme sufrimiento personal. A pesar de ello, Pablo estaba decidido a no esquivar sus obligaciones pastorales y apostólicas. ¿Qué haría para fortalecer a otros?

El liderazgo que estimula la franqueza

> Hermanos corintios, les hemos hablado con toda franqueza; les hemos abierto de par en par nuestro corazón. Nunca les hemos negado nuestro afecto, pero ustedes sí nos niegan el suyo. Para corresponder del mismo modo —les hablo como si fueran mis hijos—, ¡abran también su corazón de par en par!
>
> 2 Corintios 6.11–13

El campo más desafiante donde se pone a prueba la integridad cristiana es el de las relaciones personales. Pablo se ha confiado ante sus hermanos en la fe, exponiendo su condición frágil y vulnerable al hablar de los sufrimientos que padece en su servicio a ellos y al Señor. Y cuando se enfrenta a las dificultades de la relación, muestra dos cualidades que deben mantenerse unidas.

En primer lugar, la honestidad. 'Hermanos corintios, les hemos hablado con toda franqueza' (6.11). Al nombrarlos en este versículo, se destaca la intensa carga emocional de sus palabras. Les ha abierto su corazón, no les ha ocultado nada, y anhela que ellos hagan lo mismo con él. 'Para corresponder del mismo modo —les hablo como si fueran mis hijos—, ¡abran también su corazón de par en par!' (6.13). Retoma el concepto en 7.2, y apela a ellos como un padre a sus hijos, deseando que haya entre ellos franqueza de corazón y una comunicación abierta. Una parte de la solicitud de Pablo habrá incluido el pedido de que rechacen el evangelio rival presentado en Corinto por los así llamados líderes. 'No abandonen el mensaje que yo les presenté, no me rechacen a mí ni a la verdad del evangelio.' A veces no somos muy eficientes para 'hablar con libertad'. Confrontamos a las personas de manera dogmática, o bien hablamos con todos acerca de un problema en lugar de hacerlo con la persona a la cual deberíamos estar hablando. En el caso de Pablo, vemos que su actitud de hablar de manera abierta y honesta se complementa con otra cualidad: el afecto.

Pocas cosas son más dolorosas que sentir el rechazo del amor.

Esta es la segunda cualidad que vemos en su liderazgo. 'Nunca les hemos negado nuestro afecto, pero ustedes sí nos niegan el suyo' (6.12). Pocas cosas son más dolorosas que sentir el rechazo del amor. Pablo estaba expresándoles su afecto, describiendo con franqueza sus pensamientos y emociones, y sin embargo los corintios aparentemente mostraban una fría indiferencia. 'Hagan lugar para nosotros en su corazón,' les pide (7.2). Es evidente que el apóstol sentía que le habían dado un portazo, y lo sentía profundamente, porque amaba a estos creyentes a los que veía seducidos por maestros rivales.

Una de las características de la comunión cristiana auténtica en nuestras congregaciones y organizaciones deberá ser la franqueza de corazón. Por lo general, podemos detectar esta característica de una comunidad saludable cuando vemos hogares abiertos en lugar de relaciones formales; comunión abierta, en lugar de grupos cerrados; comunicación abierta que confronta y a la vez da ánimo, en lugar de la murmuración y el chisme. En los últimos años he participado en tres contextos diferentes, donde hemos tenido que aprender a confrontarnos con una actitud piadosa, a no barrer las cosas bajo la alfombra, a no llevar la queja a otros en lugar de encarar el problema con firmeza y compasión. Comprobé que no es fácil hacerlo, en parte a causa de mi temperamento, de mi actitud reservada (como buen británico), y de mi natural deseo de evitar la incomodidad y las situaciones imprevisibles. Por eso estos versículos son de tanta ayuda, porque combinan las cualidades de hablar con franqueza *y* de mostrar afecto. Mostrar abiertamente el corazón es un aspecto de la integridad cristiana y representa una característica atractiva de la iglesia, que hace bien al evangelio en una época de relaciones fracturadas.

Por supuesto, la transparencia no solo es necesaria cuando estamos ante desafíos como el que enfrentaba Pablo. Es una cualidad esencial que forma parte de una vida íntegra. Somos lo que somos. 'Aunque para Dios es evidente lo que somos, y espero que también lo sea para la conciencia de ustedes' (5.11). Es la actitud opuesta a la del comportamiento engañoso de los 'superapóstoles', a quienes Pablo describe como maestros que 'se [disfrazan] de servidores de la justicia' (11.15).

En sus populares libros, Daniel Goleman habla extensamente sobre la inteligencia emocional y la autogestión. Los líderes necesitan tener competencia personal y también social, necesitan la disciplina para manejarse a sí mismos y también para manejar sus relaciones personales. Al escribir sobre la 'neuroanatomía del liderazgo', menciona la transparencia como una virtud del liderazgo y una fortaleza de las organizaciones.

> La transparencia (una apertura genuina ante los demás en cuanto a nuestras emociones, creencias y acciones) brinda espacio a la integridad, a la convicción de que el líder es alguien en quien se puede confiar. En un primer nivel, la integridad se articula sobre el dominio propio, esa cualidad por la que evitamos actuar de una manera que luego podríamos lamentar. La integridad también consiste en que el líder vive conforme a sus valores. Ese tipo de líderes impresiona como alguien genuino porque no pretende

> mostrarse como lo que no es. En consecuencia, la integridad se reduce a una pregunta: lo que haces, ¿es coherente con tus valores personales?[2]

Este énfasis me agrada, excepto que, en lo que se refiere a la autogestión, prefiero la actitud de Pablo: 'Aunque deseo hacer lo bueno, no soy capaz de hacerlo' (Romanos 7.18). Es extraordinario lo que Pablo dice en Romanos 8.9: 'Sin embargo, ustedes no viven según la naturaleza pecaminosa sino según el Espíritu, si es que el Espíritu de Dios vive en ustedes.'

El liderazgo que construye confianza

La transparencia se relaciona estrechamente con el tema de la confiabilidad. La mayoría de los que escriben sobre el liderazgo consideran a la confianza como su base esencial. La confiabilidad no se desarrolla de un día para otro, se gana a lo largo de un tiempo prolongado de comportamiento creíble. Se concede confianza a los líderes que viven con integridad. Y su tarea consiste en cultivar ese clima en el seno de la comunidad.

El presidente y CEO de Shell en Canadá, Clive Mather, dijo durante su alocución en la iglesia, en octubre de 2004: 'La confianza es un valor esencial en el funcionamiento de los mercados. Como señaló Alan Greenspan, quien fuera recientemente director de la Reserva Federal, aun cuando se las siga al pie de la letra, las reglas guían muy pocas de las decisiones cotidianas que se espera de los gerentes en las finanzas y en las empresas. Las demás se definen según los códigos personales que traen consigo los propios gerentes. En consecuencia, la cuestión clave no radica en la descripción del contrato sino en que se pueda confiar en la persona y en sus valores.'[3]

La Alianza Evangélica en el Reino Unido ha pedido calurosamente a los líderes cristianos que reflexionen en la encuesta MORI. Esta encuesta señalaba que el 91% de los encuestados en el público británico confía en que los médicos dicen la verdad (en comparación con un 87% para los maestros, 74% para los profesores, 72% para los jueces); por otro lado, los datos indicaban una constante declinación en la confianza del público hacia los líderes religiosos. Los clérigos figuraban con un 70% de confianza, pero, según informó David Hilborn, de la Alianza Evangélica, la confianza en la iglesia como una institución parece estar cayendo en picada. En la Encuesta Europea de Valores realizada en 1990, solo un 43% de los encuestados confiaba en la iglesia, y solo 30% de los adultos entre 18–24 años de edad. Los líderes cristianos deben prestar atención y enfrentar esta tendencia. No sólo daña el funcionamiento del cuerpo de Cristo sino que además afecta gravemente nuestra misión.

La confiabilidad no se desarrolla de un día para otro.

Pablo reacciona a la crítica de los corintios con una respuesta apologética muy sencilla. 'A nadie hemos agraviado, a nadie hemos corrompido, a nadie hemos explotado ... Les tengo mucha confianza y me siento muy orgulloso de ustedes. Estoy muy animado; en medio de todas nuestras aflicciones se desborda mi alegría' (7.2, 4). Se ha sugerido que los tres verbos (agraviado, corrompido, explotado) se usaban comúnmente en referencia a prácticas indebidas en las finanzas, aunque probablemente tengan una aplicación más amplia.

- 'A nadie hemos agraviado': No hay nada inapropiado en nuestra relación con los demás, ninguna injusticia o falta de bondad.

- 'A nadie hemos corrompido': No hemos abusado de nuestra posición, sea en nuestro trato con personas del sexo opuesto, ni por tácticas de intimidación, ni en la manera de presentar la verdad del evangelio.[4]

- 'A nadie hemos explotado': Aquí tal vez Pablo estaba respondiendo a la acusación de que, si bien rechazaba el sostén financiero, siempre había tenido la mano en la caja, y tomaba para sí una parte de las ofrendas que Tito administraba (12.17–18). Pablo sugiere que

> seguramente los falsos profetas cometían esa falta (11.20). Pablo ya ha declarado que 'nosotros no somos de los que trafican con la palabra de Dios' (2.17).

Si bien lo que Pablo escribe se aplica de manera específica a un contexto particular de relaciones conflictivas y circunstancias exigentes, nos brindan mucho material de reflexión cuando lo aplicamos a nuestro servicio cristiano actual. Agraviado, corrompido, explotado: son palabras que pueden caracterizar al liderazgo que carece de integridad. En una ocasión tuve la penosa responsabilidad de intentar resolver una situación en una organización cristiana, donde el comportamiento del empleado de trayectoria más prolongada era tan fuerte que los demás empleados a su cargo se referían a él como intimidatorio. Cuando reflexiono hoy en aquella situación, me doy cuenta que gran parte de su comportamiento, si no todo, era involuntario; no se proponía ser destructivo, ya que era un creyente de buen corazón. Sin embargo, la fuerza de su personalidad hacía que sus colegas se sintieran intimidados. Y poco a poco, a medida que se erosionaba la confianza, fue disminuyendo el sentido de comunidad. Se les hizo muy difícil trabajar juntos. En conclusión, es importante que alimentemos continuamente nuestros vínculos laborales con sensibilidad y compasión, y que edifiquemos la confianza en toda oportunidad posible.

Pablo agrega una fuerte confirmación de su lealtad en este mismo capítulo de 2 Corintios 7. Para él los corintios son importantes. Edifica la confianza, mediante los estímulos que les expresa en el versículo 4: 'Les tengo mucha confianza y me siento muy orgulloso de ustedes.' Si bien estaba dispuesto a confrontar a los corintios cara a cara, no los criticaba delante de otros, ni siquiera de Tito, a quien había enviado como mensajero. ¿Cómo describe a los corintios? No hay en sus palabras ningún rastro de amargura ni de crítica, sino, por el contrario, expresiones de orgullo y de confianza en ellos. 'Ya le había dicho que me sentía orgulloso de ustedes, y no me han hecho quedar mal. Al contrario, así como todo lo que les dijimos es verdad, también resultaron ciertos los elogios que hice de ustedes delante de Tito … Me alegro de que puedo confiar plenamente en ustedes' (7.14, 16).

Aunque al darle instrucciones a Tito el apóstol Pablo tenía la oportunidad de injuriar a los corintios, se negó a recorrer ese camino. Por el contrario, hizo alarde de su confianza en ellos, y se ocupó del valioso ministerio de dar ánimo. Puesto que ellos habían respondido con una tristeza piadosa (7.11), los alentó vigorosamente, se expresó de manera positiva sobre su comunión, y habló con franqueza sobre su enorme alegría.

■ ... me siento muy orgulloso de ustedes.
Estoy muy animado. 2 Corintios 7.4

■ … lo cual me llenó de alegría. 2 Corintios 7.7

■ Todo esto nos reanima. 2 Corintios 7.13

■ Me alegro de que puedo confiar plenamente
en ustedes. 2 Corintios 7.16

Tito se sintió contagiado por el mismo espíritu de estímulo y alegría. Aunque en un primer momento sentía temor de encontrarse con los corintios, estos le habían dado una cálida bienvenida, y el enviado de Pablo sentía que su espíritu se había reanimado por causa de la visita (7.13, 15). La alegría de Pablo no provenía de haber sumado puntos, o de haber ganado la batalla. Se trataba del gozo de la comunión restaurada, del triunfo del evangelio de la gracia y la reconciliación.

Nuestra tarea, en cualquier situación, es la de estimular un sentido de alegría de unos por otros, de interdependencia y de lealtad mutua. Debemos ser confiables, y trabajar con los demás para construir en ese espacio un clima de confianza.

El liderazgo que estimula el trabajo en equipo

> No es que intentemos imponerles la fe, sino que deseamos contribuir a la alegría de ustedes, pues por la fe se mantienen firmes. 2 Corintios 1.24

Hoy la literatura sobre liderazgo y administración enfatiza cada vez más de los enfoques del trabajo en equipo y los diversos estilos de carácter participativo. Esto tiene sentido en cualquier institución, cristiana o no, ya que tiene fundamento bíblico; y además, es un elemento fundamental del liderazgo con integridad.

En una oportunidad leí en el *poster* de una oficina: 'Trabajar en equipo significa que nadie tiene que cargar toda la culpa.' Es verdad, ¡aunque hay mejores razones que esta para trabajar en equipo! Ya hemos hablado sobre el contexto de 2 Corintios 1. La severa carta que escribió Pablo resultaba dolorosa para todos los que estaban vinculados a la cuestión, aun Pablo. Había cancelado la visita programada a esa iglesia porque sentía que las exigencias emocionales iban a ser demasiado fuertes para todos. Su carta nacía del profundo amor que sentía por ellos, y fue a causa de ese mismo amor que había pospuesto la visita.

Hay dos factores que debemos subrayar aquí en relación con nuestro tema, y ambos aparecen en el versículo 1.24. Surgen de las cualidades que Pablo ponía de manifiesto en su trato con otras personas, aun en ese momento en que el clima predominante era la irritación y la desconfianza hacia su persona. Las cualidades que vemos en Pablo son ingredientes imprescindibles en el liderazgo efectivo en equipo.

En primer lugar, vemos el comentario de Pablo en el versículo 24: 'No es que intentemos imponerles la fe ....' Su estilo de liderazgo respetaba a quienes trabajaban con él. No era un tirano. Él y su equipo de colaboradores no eran amos ni reyes sobre esa congregación ni sobre ninguna otra comunidad cristiana. Lo hemos visto en las palabras de 4.5: 'No nos predicamos a nosotros mismos sino a Jesucristo como Señor; nosotros no somos más que servidores de ustedes por causa de Jesús.' Pablo declara que Jesucristo es Señor, y que él no hará nada que implique ocupar el lugar que le corresponde a Cristo en la vida de los creyentes. Pablo seguía en esto las instrucciones de Jesucristo. Lucas registra en su Evangelio la disputa entre los discípulos, sobre cuál de ellos era el mayor. Jesús les dijo: 'Los reyes de las naciones oprimen a sus súbditos, y los que ejercen autoridad sobre ellos se llaman a sí mismos benefactores. No sea así entre ustedes. Al contrario, el mayor debe comportarse como el menor, y el que manda como el que sirve' (Lucas 22.25–26).

No sean tiranos con los que están a su cuidado, sino sean ejemplos.
1 Pedro 5.3

O, como dijo Pedro: 'No por obligación ni por ambición de dinero, sino con afán de servir, como Dios quiere. No sean tiranos con los que están a su cuidado, sino sean ejemplos para el rebaño' (1 Pedro 5.2–3).

Es verdad que el ministerio cristiano auténtico está fundado en la autoridad bíblica, como hemos visto en el capítulo 5. Pero esa autoridad no debería convertirse nunca en *autoritarismo*. No imponemos nuestra voluntad. Aparentemente, los rivales de Pablo no tenían problemas en hacerlo. Leemos, por ejemplo, una intrigante mención de que los creyentes corintios daban la bienvenida a los predicadores itinerantes que ejercían dominio sobre ellos y que los intimidaban con la fuerza de su personalidad. 'Aguantan incluso a cualquiera que los esclaviza, o los explota, o se aprovecha de ustedes, o se comporta con altanería, o les da de bofetadas' (11.20). Esos predicadores se proclamaban como 'amos'. Pablo, en cambio, se negaba a utilizar las técnicas de manipulación usadas en su época. No se acomodaba al modelo de liderazgo imperante en el primer siglo.

¿Cómo, entonces, trabajaba Pablo? 'No es que intentemos imponerles la fe, sino que *deseamos contribuir* a la alegría de ustedes' (1.24, énfasis añadido). Vemos aquí un trato de igualdad y de mutualidad, no de imposición. Podemos decir que se trataba de un liderazgo 'sinergético', no 'autocrático'. No era el ejercicio de un gobierno sino un trabajo lado a lado con los creyentes. Pablo estaba comprometido con el trabajo en equipo. Trabajaba estrechamente con sus colegas; colaboraba con sus colegas en las iglesias; y aun como apóstol se negaba a imponerse por su condición.

El liderazgo concentrado en un solo pastor o líder a veces resulta peligrosamente vulnerable.

En otros lugares de la carta también confirmamos esta actitud de mutualidad. Pablo dice que no le interesa participar en la política partidista entre los cristianos; sostiene que no debe haber rivalidad, ni orgullo, ni la pretensión de tomar para uno el crédito del trabajo hecho por otros (10.12–26).

Si bien soy consciente de los desafíos de índole financiero que enfrentan las iglesias y las organizaciones cristianas, y que hacen difícil trabajar en forma colegiada y pluralista, también debemos estar alertas a que el modelo de liderazgo concentrado en un solo pastor o líder a veces resulta peligrosamente vulnerable. Es posible que demasiadas decisiones, demasiada autoridad y responsabilidad caigan sobre los hombros de una sola persona, y este es un enfoque que no encuentra respaldo en las Escrituras. Lo que se requiere es respaldo mutuo, rendir cuentas, actuar en forma colegiada. Aun cuando las congregaciones no puedan sostener económicamente a su personal, deben hacer todo lo posible por promover el liderazgo en equipo, la responsabilidad compartida, la transparencia. No podemos esperar que la iglesia funcione como una comunidad bíblica si el liderazgo no muestra esta forma de trabajo en equipo. De manera similar, no podemos pretender que la congregación de una iglesia trabaje en equipo, si como líderes no damos el ejemplo del compromiso genuino de trabajar con otros. En las palabras de Ajith Fernando, esto significará dejar a un lado 'nuestro complejo de mesianismo' y admitir que necesitamos de los demás. Cuando leí el libro de Max DePree, *Leadership is an Art* [Hay trad. al cast.: El liderazgo es un arte], me impresionó la sabiduría de la frase inicial: que una de las principales responsabilidades del líder es decir 'gracias'.[5] Es decir, el líder reconoce que depende de otros.

Pablo lo sabía bien. Hemos visto en 2 Corintios 7 que estaba sufriendo muchas presiones ('conflictos por fuera, temores por dentro', 7.5). Pero se sintió consolado con la llegada de su buen amigo Tito, y por las noticias de la cálida actitud con que lo habían recibido los propios corintios (7.7).

Fred Bruce, teólogo especialista en el Nuevo Testamento, comentó en su libro sobre el entorno paulino que hay alrededor de setenta personas mencionadas por nombre en el Nuevo Testamento de las que nunca hubiéramos oído si no fuera por su vinculación con Pablo. Y además de esto sabemos de muchos amigos a los que no se menciona por nombre. La lista de amigos que menciona en 2 Timoteo 4 (además de algunos oponentes), y a la que ya nos hemos referido, representa un aspecto importante de su legado de liderazgo. Su vida se aproximaba al fin, y el apóstol dirigió sus pensamientos hacia sus colegas en el ministerio, quienes no solo habían sido un sostén en lo personal sino que además habían extendido la misión mucho más de lo que Pablo hubiera podido hacer.

Esa colaboración genuina con otros es la manera de asegurarnos de vivir con integridad. 'Una vez que nos permitimos ministrar *bajo* la autoridad de Dios, y no *como* si fuéramos Dios, entonces estaremos preparados para abrir la puerta hacia quienes deseen construir una amistad con nosotros, y estaremos dispuestos a reconocer nuestra necesidad del sostén que pueden darnos los amigos.'[6]

El liderazgo que da el ejemplo

Hace poco, una líder exploradora del movimiento Scout colisionó con un automóvil estacionado cuando se retiraba de una reunión del equipo en Great Lumley, condado de Durham. El daño fue mínimo, pero dejó una nota con un mensaje engañoso en el limpiaparabrisas del Volvo al que había chocado, y luego envió mensajes de texto a dos de sus liderados, a los que estaba llevando de regreso, pidiéndoles que dijeran que no había ocurrido tal accidente. El juez que intervino dijo a esta mujer: 'Me temo que usted no tiene futuro en el movimiento Scout. En mi opinión, usted no practica un ejemplo correcto que le permita ser líder.' Es fácil entender por qué este juez recomendó que fuera desplazada de la función que cumplía en la organización. El estatuto contiene pautas tales como: 'el scout debe ser confiable; es leal; tiene coraje en todo tipo de dificultades; usa cuidadosamente su tiempo, además de las posesiones y las propiedades; el scout se respeta a sí mismo y a los demás.'[7]

Sabemos que otros observan de qué manera vivimos. Y sabemos que esta es una de las maneras en que las personas aprenden. Pablo era consciente de este principio, y podía decir a los corintios: 'Imítenme a mí, como yo imito a Cristo' (1 Corintios 11.1). Por eso mismo no quería ser una influencia negativa: 'Por nuestra parte, a nadie damos motivo alguno de tropiezo, para que no se desacredite nuestro servicio. Más bien, en todo y con mucha paciencia nos acreditamos como servidores de Dios' (2 Corintios 6.3–4).

- Con tus buenas obras, dales tú mismo ejemplo en todo. Cuando enseñes, hazlo con integridad y seriedad, y con un mensaje sano e intachable. Así se avergonzará cualquiera que se oponga, pues no podrá decir nada malo de nosotros. Tito 2.7–8

- Dios y ustedes me son testigos de que nos comportamos con ustedes los creyentes en una forma santa, justa e irreprochable. 1 Tesalonicenses 2.10

Pablo amontona los términos en una manera dramática: integridad y seriedad, mensaje sano e intachable. Era algo que estaba en la esencia de su ministerio: un ejemplo recto puede ser un ingrediente de enorme influencia en una iglesia saludable. Como decimos a menudo, el carácter cristiano es algo que se enseña y también se expone. Y no sólo eso: Pablo declara que este principio modelaba su ministerio pastoral. Como un padre, buscaba animar, consolar y exhortar a los creyentes a 'llevar una vida digna de Dios' (1 Tesalonicenses 2.12), a seguir su ejemplo.

Nuestra mejor manera de aprender es estar cerca de creyentes consagrados. Ya sea en las relaciones más formales del discipulado o mentoreo, o en el ministerio de animar y de capacitar a otros, en el ministerio cristiano es de importancia vital que nos aseguremos de que nuestra vida sea testimonio genuino de la verdad del evangelio. Con la actitud de un padre, debemos ocuparnos de formar a otros mediante el estímulo respaldado por el ejemplo práctico y veraz.

Vale la pena observar en 1 Tesalonicenses 1 otro elemento que forma parte del ejemplo. Uno de los rasgos más evidentes del primer capítulo es la secuencia que describe Pablo, una reacción en cadena:

- 'nuestro evangelio les llegó' (v. 5).
- 'recibieron el mensaje' (v. 6).
- 'El mensaje del Señor se ha proclamado … en todo lugar' (v. 8).

El mismo efecto en ondas aparece en la descripción de la conducta de ser ejemplo y de imitar a otro:

- 'Ustedes se hicieron imitadores nuestros' (v. 6).
- 'De esta manera se constituyeron en ejemplo para todos los creyentes de Macedonia y de Acaya' (v. 7).

El mensaje se expandió en ondas desde el puerto de Tesalónica, hizo eco en las montañas, se difundió a lo largo y a lo ancho;

y no era solamente un mensaje, sino un ejemplo. La gente oía hablar del impacto del evangelio sobre la iglesia. La integridad de su vida cristiana causaba un impacto profundo, un efecto multiplicador no sólo en las ciudades y provincias circundantes, sino a través del tiempo y de las sucesivas generaciones: así, 'se ha divulgado su fe en Dios' (1 Tesalonicenses 1.8). Así también, la edificación de una comunidad cristiana y el avance del evangelio en nuestro tiempo se hará por medio de aquellos que hablen las palabras del mensaje y vivan de acuerdo con él.

08 Confrontar el pecado

Siempre que hablamos de comunidad, es inevitable hablar de conflictos. En realidad, ambos están relacionados. Se entiende: comunidad significa diversidad, diversidad significa diferencia, y a menudo las diferencias producen conflictos. 'No es exagerado decir que donde dos o tres se reúnen en el nombre de Jesús ... es casi seguro que en algún momento habrá conflicto,' dice Paul Beasley-Murrary.[1]

Algunos sostienen que el conflicto es un factor esencial para el bienestar de una organización porque genera las tensiones creativas necesarias para el crecimiento y evita la pasividad y la indiferencia que los sofocan. Por supuesto, también podríamos mencionar muchos casos de conflicto que resultan destructivos. Afortunadamente, la experiencia de Pablo con los corintios no fue uno de esos casos. Tanto él como ellos sufrieron el dolor del conflicto, pero la historia nos deja importantes lecciones sobre la manera en que el conflicto y el fracaso, resueltos con integridad, pueden ser redimidos para los buenos propósitos de Dios.

Antes de ocuparnos de un punto concreto de la carta de Pablo a los corintios, es importante observar que la carta en su totalidad se ocupa del tema más amplio de la relación de Pablo con ellos. De hecho, una importante obra sobre las cartas a los corintios se titula *Conflict and Community in Corinth* [Conflicto y comunidad en Corinto]. Vale la pena citar a Ben Witherington, porque demuestra cuánto es lo que está en juego:

> Pablo dedica una considerable atención a ocuparse y tratar de superar obstáculos concretos, en su búsqueda de lograr una reconciliación completa con sus hijos espirituales ... Pablo creía que si esta reconciliación no se alcanzaba, se ponía en riesgo la identidad cristiana de la *ekklesia* en Corinto, ya que Pablo estaba representando a Cristo. Estar enemistados de este representante significaba estar alienado de aquél que lo había enviado. Es decir que no solo estaba en juego la integridad del ministerio de Pablo sino también la integridad de la fe de los corintios. Pablo necesitaba defenderse a sí mismo, su conducta y su ministerio, y además debía proteger a sus conversos del peligro concreto de apostasía. En consecuencia, la carta intenta poner en práctica lo que Pablo declara con elocuencia en 5.17–19. Si Pablo es embajador de reconciliación entre los corintios y Dios en la persona de Cristo, desacreditar al embajador es negar la realidad de la reconciliación de los corintios con Dios.[2]

Sin embargo, en el contexto de la difícil relación entre Pablo y los corintios, encontramos la mención de una situación de pecado, de la cual podemos extraer algunas lecciones importantes. Pablo presenta el problema:

> Si alguno ha causado tristeza, no me la ha causado sólo a mí; hasta cierto punto —y lo digo para no exagerar— se la ha causado a todos ustedes. Para él es suficiente el castigo que le impuso la mayoría. Más bien debieran perdonarlo y consolarlo para que no sea consumido por la excesiva tristeza. Por eso les ruego que reafirmen su amor hacia él.
>
> 2 Corintios 2.5–8

La palabra 'disciplina' no es común en el léxico de la iglesia de nuestros días. La tendencia de la época, que enfatiza la tolerancia y evita el juicio y la culpa, nos ha influenciado al punto de que la idea de disciplinar a un hermano en la fe parece fuera de lugar. Estos versículos muestran la manera en que Pablo se ocupó de un caso concreto de pecado. Lejos de actuar de manera insensible y dictatorial, Pablo pone de manifiesto su integridad no solo por la manera en que confronta a los corintios, sino por su actitud hacia el ofensor.

Integridad en nuestra manera de reaccionar ante el agravio

'Los pastores se cuentan entre las personas más enojadas con las que me toca trabajar,' dice A. D. Hart.[3] Ocuparnos de las faltas es una de las pruebas más exigentes de nuestro liderazgo. Resulta aun más crítico cuando la falta es un agravio hacia nuestra persona. En 2.6, Pablo se refiere al castigo impuesto a un miembro de la congregación. Si bien es posible que se trate de la misma persona a la que Pablo describe en 1 Corintios 5 (un hermano inmoral que debió ser expulsado de la congregación), es mucho más probable que se trate de alguien en la iglesia de Corinto que hubiera ofendido a Pablo. El ofensor habría agraviado al apóstol, tal vez mediante un insulto en público, y esto no solo había ofendido a Pablo, sino que tenía repercusiones más amplias.

Somos conscientes de que el pecado siempre tiene un impacto en otros. Quizás afecte a nuestra familia, a nuestros colegas, y aun a la iglesia. La comunidad cristiana es un cuerpo, y las faltas de una persona afectan a la comunidad en su conjunto. Aunque da la impresión de que el agravio había sido contra Pablo, él menciona que ese pecado provocó tristeza a todos (2.5). La herida causada a una persona tendrá como consecuencia un sufrimiento colectivo. Se produce un efecto dominó, y esa es una de las razones por la que es necesaria la disciplina.

La reacción de Pablo nos deja una lección de integridad. Los corintios habían disciplinado al ofensor (7.6–13), pero a Pablo le importaba que el asunto se cerrara tanto con firmeza como con perdón. La disciplina había sido suficiente. A Pablo no le interesaba la venganza. Sabía que la disciplina tenía un propósito, pero una vez que este se había alcanzado, era momento de ofrecer restauración y perdón con generosidad.

Me impresiona la reacción de Pablo, porque puedo entender por qué A. D. Hart descubrió tanta ira entre los líderes cristianos. Hemos servido a otros con sacrificio, nuestras familias han llevado la carga con nosotros, hemos trabajado largas horas por un salario relativamente magro, y ahora nos sentimos cansados y sobrecargados. Entonces un miembro de nuestro equipo o una persona en la iglesia nos ofende a nosotros o a nuestra familia. Ese es el momento cuando algunos líderes explotan con ira. La mansedumbre y amabilidad de Cristo, que hemos mencionado como rasgos del liderazgo consagrado, posiblemente dejan de formar parte de nuestra actitud y tal vez de nuestras acciones.

Por eso es impresionante escuchar la convocatoria de Pablo: ustedes deben perdonarlo, como yo ya lo hice. Es más, casi parece haber olvidado la ofensa: 'A quien ustedes perdonen, yo también lo perdono. De hecho, si había algo que perdonar, lo he perdonado por consideración a ustedes en presencia de Cristo' (2.10). Tom Wright comenta sobre el efecto liberador de esta clase de reacción.

> '¿Qué puedo hacer por usted?,' preguntó el doctor con una sonrisa.
> 'Vengo por mi memoria,' dijo el paciente. 'No puedo recordar cosas, como solía hacerlo.'
> '¿Cuánto hace que tiene este problema?,' preguntó el doctor.
> El paciente lo miró, perplejo.
> '¿Cuál problema?'

Una de las disciplinas básicas de la vida cristiana es decidirnos a olvidar ciertos asuntos... y lograrlo. 'Lo he perdonado,' decimos, y nos rascamos la cabeza tratando de recordar si habíamos tenido que perdonar algo o a alguien. Das por sentado que ya lo hiciste, pero ya no recuerdas de quién se trataba ni qué debías perdonar. 'Si había algo que perdonar,' dice Pablo. Esto no es amnesia. Forma parte de una autodisciplina estricta. Cuando Pablo perdona, también olvida.[4]

Ocuparnos de las faltas es una de las pruebas más exigentes de nuestro liderazgo.

Tal vez no podamos llegar tan lejos, aunque se trata de un consejo sabio. Si nos resulta difícil hacer a un lado los agravios personales, contamos con otra estrategia que nos ayudará a reaccionar con integridad. Ya nos hemos referido en el capítulo 2 a uno de los oponentes de Pablo mencionado en 2 Timoteo 4: 'Alejandro el herrero me ha hecho mucho daño. El Señor le dará su merecido. Tú también cuídate de él, porque se opuso tenazmente a nuestro mensaje' (vv. 14–15). Pablo no era vengativo. No buscaba venganza. No vemos en él amenaza ni palabras airadas. En lugar de ello, declara: 'El Señor le dará su merecido ...' Aquí Pablo sigue el ejemplo de Cristo, 'que se entregaba a aquel que juzga con justicia' (1 Pedro 2.23).

Su actitud se realza cuando describe su soledad. 'Haz todo lo posible por venir a verme cuanto antes, pues Demas, por amor a este mundo, me ha abandonado y se ha ido a Tesalónica' (2 Timoteo 4.9–10). El alejamiento de Demas habrá sido muy doloroso para Pablo. Demas era un colaborador cercano, a menudo asociado con Pablo y Lucas. Era una persona en la cual Pablo confiaba. Pero 'por amor a este mundo', había abandonado al apóstol. Las cosas se habían puesto aun peores, ya que Pablo continúa diciendo: 'En mi primera defensa, nadie me respaldó, sino que todos me abandonaron. Que no les sea tomado en cuenta' (2 Timoteo 4.16). La frase final refleja una generosidad semejante a la de Cristo, ya que Pablo no desea que aquellos que fueron desleales sufran daño alguno. Esto nos impresiona todavía más cuando consideramos las circunstancias difíciles en las que se encontraba Pablo. Abandonado, sufriendo oposición, sin respaldo, preso, pasando frío, y con una inminente sentencia de muerte… y sin embargo pide 'que no les sea tomado en cuenta'.

Es cierto que somos perdonados por la gracia de Dios, pero en 2 Corintios 5 aprendemos que también somos responsables ante el Señor, el Juez, a quien daremos cuenta de cómo hemos vivido: nuestras actitudes, nuestras decisiones, nuestras palabras y acciones. Esto debería inspirarnos a reaccionar ante el agravio, no con ira, no guardando resentimiento ni alimentando malos sentimientos hacia hermanos en la fe, sino con la humildad de Cristo: 'Lo he perdonado por consideración a ustedes en presencia de Cristo' (2 Corintios 2.10).

Integridad reflejada en una disciplina apropiada

> Para él es suficiente el castigo que le impuso la mayoría … Con este propósito les escribí: para ver si pasan la prueba de la completa obediencia.
>
> 2 Corintios 2.6, 9

La palabra que Pablo utiliza para la disciplina que se ha ejercido es 'castigo', un término que se relaciona con 'reprimenda'. Era importante que los corintios siguieran las indicaciones de la severa carta que Pablo les había escrito, y que actuaran de la manera que les había pedido. Esta era una expresión de su obediencia al apóstol y en consecuencia de su obediencia a Dios (2.9). Pero Pablo vuelve a escribir, y ahora indica que la disciplina aplicada es suficiente. Toda disciplina debe ser proporcional a la ofensa, ni demasiado indulgente ni demasiado severa. Si es excesiva podría ser contraproducente, y provocar, en algunas ocasiones, no solo 'excesiva tristeza' sino la posterior deserción.

Issiaka Coulbalu comenta estos versículos desde la perspectiva africana, pero sus pensamientos tienen relevancia global.

> Son demasiado numerosas las comunidades cristianas en África en las que individuos y grupos étnicos abusan de la disciplina. La utilizan como un recurso para la venganza, el juicio y la condenación, en lugar de aplicarla como una oportunidad para que la persona se arrepienta y abandone su pecado. En lugar de eliminar el pecado, lamentablemente ese tipo de disciplina abre la oportunidad para que el pecado aumente, y pone a hermanos y hermanas en la fe unos contra otros.[5]

Esto sucede en todas las culturas. A Pablo le interesa evitar esas consecuencias, y por eso subraya deliberadamente que son imprescindibles su perdón y el de los corintios, 'para que Satanás no se aproveche de nosotros' (2.11). Satanás no se mantiene pasivo en lo que se refiere a los conflictos en las relaciones personales o a las fisuras en la comunidad. Con frecuencia está detrás del comienzo del problema, y querrá profundizarlo y extender su impacto. Debemos estar alerta a sus maquinaciones, y además dispuestos, mediante el perdón y la aceptación, a restaurar a la persona que ha caído, a fin de que la comunidad cristiana no sufra otras heridas espirituales. La disciplina debe ser practicada con integridad y sabiduría. Su propósito es llamar al arrepentimiento y estimular la restauración y la reconciliación. Esto debe ocupar un lugar prominente en nuestro pensamiento mientras nos ocupamos de las personas que han caído. No resulta difícil si reconocemos que también nosotros necesitamos de la gracia de Dios.

Integridad en el perdón generoso

Como ya hemos visto, Pablo estaba dispuesto a perdonar el agravio personal, y exhortaba a la comunidad cristiana no solo a perdonar sino a demostrar amor al ofensor. Todos podemos entender por qué es necesario hacerlo. Acabo de hablar con una amiga que debió soportar el dolor de una reprimenda en público en presencia de numerosos colegas, y me describió la agonía que le produjo el sentimiento de soledad en esa situación. Quizás hayas tenido la experiencia de ser confrontado o confrontada con sus faltas, en el seno de tu familia o de tu iglesia. Cualquiera haya sido el problema que originó la necesidad de disciplina, de inmediato nos sentimos 'excluidos', condenados por los demás. Necesitamos del perdón de Dios, pero también de nuestros hermanos en la fe (2.7). Y más aun, también necesitamos sentir que pertenecemos. Necesitamos el consuelo y la confirmación de quien nos ama (2.7–8).

El servir a Dios es un llamado de su gracia y de su misericordia.

Algo que resulta de especial importancia es la manera en que Pablo toma la iniciativa de ser ejemplo en lo que debe hacerse. Toma el recaudo de demostrar su propia disposición a perdonar, a la vez que convoca a los corintios a perdonar ellos también al ofensor. Hay un rasgo de autenticidad en su reacción, ya que una vez más dice que lo hace, 'en presencia de Cristo'. Reconoce que su vida transcurre en presencia de Cristo, y que por lo tanto debe ser completamente sincero en sus actitudes y en su conducta. En un contexto enormemente desafiante de sufrimiento personal y necesidad de perdón, toma la iniciativa bajo la mirada de Dios.

Hace algunos años pasé por momentos difíciles. Sentí que otro líder cristiano no me trataba bien. Esto inevitablemente afectó mi trabajo, produjo sufrimiento a mi esposa, y comenzó a afectarme emocionalmente. Por momentos era una lucha mantenerme íntegro: me esforzaba por no albergar pensamientos inadecuados ni hablar de manera indebida sobre la persona al conversar con terceros. Me llevó algunos meses dejar de lado el asunto y retomar la relación con una actitud de perdón, de apertura y de generosidad. Fue la gracia de Dios lo que me permitió hacerlo, una gracia expresada a través del acompañamiento de buenos amigos que me ayudaron a corregir la perspectiva. Nunca es fácil, pero la integridad requiere que perdonemos y que rechacemos cualquier forma de venganza personal. Pablo se negó a practicar la represalia; quería que la disciplina fuera apropiada, pero no excesiva. Aconsejaba el perdón y era ejemplo de un espíritu generoso. Peter Brain sintetiza las actitudes y la conducta que necesitamos:

- No volveré a mencionar el tema.
- No se lo contaré a otros.
- No estaré mascullándolo en mi interior.[6]

Recuperando la integridad

Si bien el tema del que nos hemos ocupado se relacionaba con la manera de ocuparnos de las faltas de otros, también necesitamos confrontar nuestro propio pecado. Está muy bien leer un libro sobre la integridad, pero muchos de nosotros sentimos que no alcanzamos el nivel. Quizás hemos cometido faltas muy públicas, y nos preguntamos si será posible regresar al servicio cristiano. O tal vez somos conscientes de un gran número de incoherencias en nuestra vida personal y de hipocresía en nuestro liderazgo.

En esas circunstancias, comencemos donde comenzó Pablo. 'Por esto, ya que por la misericordia de Dios tenemos este ministerio, no nos desanimamos' (2 Corintios 4.1). Pablo, el violento perseguidor de la iglesia. Pablo el blasfemo, quien por la misericordia de Dios ahora era un apóstol. Todos tenemos el mismo punto de partida. Ninguno de nosotros puede hablar del ministerio cristiano, del liderazgo o de la integridad sin a la vez afirmar que 'la gracia de nuestro Señor se derramó sobre mí con abundancia, junto con la fe y el amor que hay en Cristo Jesús' (1 Timoteo 1.14). Allí es donde comienza nuestro ministerio, donde continúa y donde concluye. Nuestro llamado para servir a Dios es un llamado de su gracia y de su misericordia.

También debemos reconocer que la integridad se forja a través de la experiencia del fracaso, en la medida en que este se maneja a la luz de la gracia de Dios. Al escribir sobre la crisis del liderazgo, Walter Wright sugiere que se origina en la falta de perdón. 'La expectativa es que los líderes no cometan equivocaciones. En nuestras organizaciones hay muy poca tolerancia del error, escasa comprensión hacia las limitaciones humanas de los líderes.'[7] Las iglesias y las organizaciones harían bien en recordar que los líderes crecen cuando se les da espacio para equivocarse y oportunidad para aprender. Aquí resulta fundamental un equipo de trabajo que te sostenga. Por supuesto, quizás tu falla sea algo más que un error administrativo. Con frecuencia puede tratarse de una falta moral. Reaccionar con integridad es algo muy concreto. Al referirse a la manera en que habían reaccionado los corintios a su anterior carta más severa, en 2 Corintios 7 Pablo describe dos posibles situaciones: 'La tristeza que proviene de Dios produce el arrepentimiento que lleva a la salvación, de la cual no hay que arrepentirse, mientras que la tristeza del mundo produce la muerte' (7.10).

La tristeza del mundo es la tristeza de sentirse descubierto.

En pocas palabras, *la tristeza del mundo* es la tristeza de sentirse descubierto. Nos sentimos mal de la situación, y más aun por sus consecuencias, por el efecto que tiene en nosotros mismos. Provoca lástima de nosotros mismos. Nos sentimos amargados y enojados porque hemos quedados expuestos. Tenemos el amor propio herido. El resultado final puede ser la amargura, el resentimiento, la ira: 'muerte', dice Pablo.

Reaccionar con integridad es tener *la tristeza que proviene de Dios.* La mirada no está en el orgullo herido sino en el Dios al que he ofendido. Se caracteriza por una tristeza piadosa, por el reconocimiento de la falta o por un arrepentimiento sincero.

Abre la puerta a la restauración y de eso 'no hay que arrepentirse' (7.10).

Comprender y reconocer esta diferencia me ha resultado útil. Cuando tengo conciencia de haber fallado, mi primera reacción con frecuencia está alineada con la tristeza del mundo: actitud defensiva, lástima de mí mismo. Pero la tristeza que proviene de Dios es la única actitud que me ayuda a encontrar el camino de la recuperación.

La historia de David nos enseña mucho sobre la manera de recuperar la integridad. Cuando el Señor se apareció a Salomón le dijo: 'En cuanto a ti, si me sigues con integridad y rectitud de corazón, como lo hizo tu padre David ...' (1 Reyes 9.4). David sabía que Dios prueba el corazón y ama la rectitud (1 Crónicas 29.17), y sabía lo que significaba estar expuesto a los peligros y a las tentaciones en el liderazgo.

Sin embargo, una vez que fue consagrado rey se volvió descuidado. Conocemos el relato de cómo se alejó de la 'integridad y rectitud de corazón'. Se mostró indiferente hacia las responsabilidades que le correspondían en tiempo de guerra, se sintió tentado por la belleza de la esposa de otro hombre, cometió adulterio y después trató de encubrirlo. El resultado final de su engaño fue el asesinato de su principal jefe militar. Sin embargo, Dios tenía el propósito de confrontar a David con su pecado y luego restaurarlo con su gracia. Cuando David reaccionó con la tristeza que proviene de Dios, sintió un dolor intenso y un profundo arrepentimiento. Y esto le cambió la vida. Captamos algo de su tristeza piadosa en uno de sus salmos:

> Crea en mí, oh Dios, un corazón limpio,
> y renueva la firmeza de mi espíritu.
> No me alejes de tu presencia
> ni me quites tu santo Espíritu.
> Devuélveme la alegría de tu salvación;
> que un espíritu obediente me sostenga.
> Así enseñaré a los transgresores tus caminos,
> y los pecadores se volverán a ti.
>
> Salmos 51.10–13

Este es un cántico pronunciado por los labios de los hijos de Dios a lo largo de los siglos, porque sabemos cuánto necesitamos la gracia restauradora de Dios. 'Si afirmamos que no tenemos pecado, nos engañamos a nosotros mismos y no tenemos la verdad. Si confesamos nuestros pecados, Dios, que es fiel y justo, nos los perdonará y nos limpiará de toda maldad' (1 Juan 1.8–9). Y esto es cierto, ¡es verdad! 'Por esto, ya que por la misericordia de Dios tenemos este ministerio, no nos desanimamos' (2 Corintios 4.1).

Una palabra final de aliento. Encontramos un nombre más en la lista de Pablo al final de 2 Timoteo 4: 'Recoge a Marcos y tráelo contigo, porque me es de ayuda en mi ministerio' (v. 11). Este es un comentario breve pero valioso sobre la restauración de la integridad. Marcos había sido una desilusión para Pablo. Lo habían seleccionado para salir con Pablo y Bernabé en el primer viaje misionero, pero muy pronto Marcos saltó del barco y abandonó al equipo. El viaje era duro, y evidentemente Marcos no se sintió en condiciones de hacerlo. Se volvió a casa. En consecuencia, cuando llego el momento de prepararse para el segundo viaje misionero, Pablo ya había tomado una decisión respecto a Marcos. ¡No gracias! No quería llevarlo.

Hubo un desacuerdo fuerte entre Pablo y Bernabé, del que leemos en Hechos 15.37–40. Bernabé estaba decidido a llevar a Marcos pero Pablo no lo aceptaba, de modo que se separaron. Bernabé llevó a Marcos y Pablo llevo a Silas, con lo cual, por la gracia de Dios el resultado fue que ahora hubo dos equipos misioneros fructíferos. Unos doce años después, Pablo escribió a los colosenses y mencionó a Marcos, lo cual significa que estaba trabajando nuevamente con él (Colosenses 4.10–11). Y también sabemos que Marcos estaba colaborando fielmente con Pedro (1 Pedro 5.13). Cuando quizás habían pasado unos veinte años desde aquella primera falta, Pablo expresó en 2 Timoteo: No dejen de traer a Marcos; será genial contar con su ayuda. Marcos ya está plenamente restaurado.

Pablo lo describe como 'útil' (2 Timoteo 4.11, RVR 95), una palabra que se utiliza solo tres veces en el Nuevo Testamento: En 2 Timoteo 4.11, antes en 2.21 para describir a los utensilios útiles, y en Filemón 11 en un juego de palabras con el nombre de Onésimo (que significa 'provechoso'). "Dos personas inútiles, que habían huido y abandonado sus tareas, se han vuelto 'útiles' por medio de la intervención de la gracia de Dios en su vida".[8] A pesar de ser ya anciano, Pablo tuvo la grandeza suficiente de cambiar de actitud, y en lugar de descartar a Marcos le dio una nueva oportunidad de servir al Señor y de ser parte del equipo. Por la gracia de Dios, cualquiera sea la naturaleza de nuestro fracaso, hay un camino de regreso.

- Te basta con mi gracia, pues mi poder se perfecciona en la debilidad. 2 Corintios 12.9

- Por lo tanto, ya que en Jesús, el Hijo de Dios, tenemos un gran sumo sacerdote que ha atravesado los cielos, aferrémonos a la fe que profesamos. Porque no tenemos un sumo sacerdote incapaz de compadecerse de nuestras debilidades, sino uno que ha sido tentado en todo de la misma manera que nosotros, aunque sin pecado. Así que acerquémonos confiadamente al trono de la gracia para recibir misericordia y hallar la gracia que nos ayude en el momento que más la necesitemos. Hebreos 4.14–16

- ¡Al único Dios, nuestro Salvador, que puede guardarlos para que no caigan, y establecerlos sin tacha y con gran alegría ante su gloriosa presencia, sea la gloria, la majestad, el dominio y la autoridad, por medio de Jesucristo nuestro Señor, antes de todos los siglos, ahora y para siempre! Amén. Judas 1. 24–25

09 El manejo del dinero

Cuando se le preguntó sobre sus ingresos, Joe Lewis respondió con picardía, 'No importa que uno sea rico o pobre, siempre que tenga dinero'. Esto es lo que muchos sentimos sobre el tema. Todos tenemos que vivir, todos tenemos que lograr que nuestros ingresos nos alcancen. De modo que no cabe duda de que el dinero es un tema bastante neutral, ¿no es así?

En realidad, la cuestión del uso del dinero ocupa el centro mismo de nuestro discipulado cristiano. Pablo dedica dos capítulos enteros al tema en 2 Corintios, porque una serie de otros temas significativos están vinculados con el asunto del dar. Incluyen nuestra comprensión del evangelio, las consecuencias de la comunión fraternal, las motivaciones fundamentales de la vida y el discipulado cristianos, e incluso la naturaleza del culto cristiano. Lejos de no ser pertinente para el liderazgo cristiano, el dinero puede constituir un asunto crítico donde se pone a prueba la integridad. La forma en que se obtiene dinero, la forma en que se lo administra y la forma en que se lo usa son todos aspectos que representan desafíos para quienes tienen la responsabilidad del liderazgo en una iglesia o en una organización. Igual que en el caso de cada uno de los temas de los que nos estamos ocupando, Dios está observando: Pablo señala que, en el manejo del dinero, sus representantes están siendo observados no sólo por las iglesias sino por Dios mismo (8.20–21).

A Pablo le preocupa alentar a los corintios a hacer un aporte para un proyecto urgente: una ofrenda para las necesidades especiales de los creyentes en Jerusalén, los que se veían sometidos a una presión financiera considerable. Como judíos convertidos enfrentaban la hostilidad de sus familias y vecinos, y probablemente muchos de ellos habían perdido su empleo como consecuencia de esta situación. También es probable que los que trabajaban solo tenían ocupaciones menores, que difícilmente aseguraban lo suficiente para cubrir las necesidades de sus familias, y menos todavía para la comunidad cristiana más amplia en la ciudad. Además de esto sabemos que estaban en medio de una hambruna, lo cual aumentaba la presión.

El acto de dar del cristiano es *espiritual*.

De manera que a Pablo le interesaba que se hiciera una colecta en torno a la región, no solamente para hacer frente a las necesidades de loa cristianos en Jerusalén, sino también como una expresión de solidaridad entre los creyentes judíos y gentiles. Acciones prácticas de este tipo constituirían una clara señal de la unidad de los creyentes de diferentes trasfondos culturales. Ambos capítulos contienen una cantidad considerable de enseñanza valiosa sobre la práctica cristiana de ofrendar, pero nuestra intención aquí es la de destacar cuestiones en torno al liderazgo y la integridad. El enfoque adoptado por Pablo, unido a su enseñanza, ofrece varias cosas significativas a considerar en relación con este tema.

Hay tres principios al comienzo de 2 Corintios 8 que demuestran por qué el manejo del dinero en la comunidad cristiana debe llevarse a cabo con sabia mayordomía y un cuidado escrupuloso.

Primero, el acto de dar del cristiano es *espiritual*. ¡Esto podría parecer sorpresivo para los que estamos acostumbrados a hablar de lucro obsceno! Pero el dar con generosidad es el resultado de la gracia de Dios que opera en nuestra vida. Notemos con cuánta frecuencia Pablo se refiere a esto: 'la gracia que Dios ha dado a las iglesias de Macedonia' (8.1); 'esta obra de gracia' (8.6); 'esta gracia de dar' (8.7); 'la gracia de nuestro Señor Jesucristo' (8.9); 'Dios puede hacer que toda gracia abunde para ustedes' (9.8); 'gracia que ustedes han recibido de Dios' (9.14).

Resulta más explícito cuando Pablo explica que la respuesta de los macedonios era el resultado de haberse dado ellos mismos 'primeramente al Señor' (8.5). Su generosidad financiera nacía de su total entrega al señorío de Cristo. Todo estaba sujeto a él. Aquí tenemos un principio importante. El verdadero dar cristiano es triangular: primero le damos al Señor, luego a algo o a alguien. De inmediato esto requiere integridad. Considerar el dar de este modo elimina cualquier sentido de manipulación por parte del dador ('ahora tengo una medida de influencia en lo tocante a este proyecto'), y también anula cualquier sentido de incomodidad o de deuda por parte del receptor. Le estamos dando a Dios, como parte de la mayordomía total y del sentido de adoración de nuestra vida.

Segundo, el dar cristiano tiene sentido de *sacrificio*. Tiene que haber sido obra de la gracia de Dios, porque los cristianos de Macedonia ofrendaron cuando no estaban en buenas condiciones para hacerlo. Ellos también estaban sujetos a la presión de la persecución, y Pablo agrega que sufrían de 'extrema pobreza' (8.2). Y a pesar de estas restricciones, su acción de dar sacrificialmente estaba caracterizada por dos cualidades. Era generosa. Pablo la denomina 'rica generosidad' (8.2), y en el capítulo 9 les recuerda a los corintios que esta es la clase de espíritu que Dios busca cuando ofrendamos. Estos cristianos daban 'aún más de lo que podían' (8.3). Era, también, un dar voluntario, 'espontáneo' (8.3; 9.7). No había ninguna necesidad de que Pablo los instara a dar; más todavía, al parecer se sentía reacio a recurrir a ellos debido a su pobreza (8.3–4), y los macedonios le rogaron que les permitiera hacer una contribución. Pablo repite este tema en el capítulo 9: 'Cada uno debe dar según lo que haya decidido en su corazón, no de mala gana ni por obligación, porque Dios ama al que da con alegría' (9.7).

Así debería ser con todos los cristianos. No de manera mezquina, no calculando cuidadosamente, no haciendo un uso restringido de nuestro tiempo, dinero o recursos, sino todo puesto a disposición para los propósitos de Dios. Para mi familia ha sido una experiencia conmovedora y a la vez humillante el que, a lo largo de los años de nuestro servicio cristiano, hemos sido apoyados en oración y finanzas por muchos amigos, algunos de los cuales son viudas ancianas y con recursos financieros limitados. Con fidelidad han comprometido una pequeña ofrenda mensual para las organizaciones con las que hemos estado trabajando, y sabemos que se ha tratado de una donación sacrificada. Despierta en nosotros un profundo sentido de gratitud y una fuerte preocupación para que las finanzas en nuestro servicio sean bien canalizadas.

Tercero, el dar cristiano *expresa solidaridad.* El ofrendar de los macedonios también estaba motivado por una preocupación por el bienestar de otros cristianos, un deseo de tener 'el privilegio de tomar parte en esta ayuda para los santos' (8.4). Este sentido de solidaridad para con los creyentes en el cuerpo de Cristo los llevaba a dar para las necesidades de otros. Este espíritu de desprendimiento es una marca de la comunión auténtica.

Si estos tres principios básicos ocupan un lugar central en nuestra mente cuando manejamos el dinero en la comunidad cristiana, nos evitaremos muchos errores o tentaciones potenciales. Nos daremos cuenta de que somos responsables de una mayordomía sabia en cuanto a los recursos del Señor; de que somos responsables de recursos limitados, dados con sacrificio por otros creyentes; y que el dinero, empleado con espíritu de oración, puede ser el medio para fortalecer la comunión cristiana.

Sobre este fundamento deberíamos notar el cuidado práctico con el que Pablo se ocupó de la administración del proyecto. La forma en que él maneja el dinero es crucial. Es una prueba fundamental de integridad y consistencia. Por eso declara 'queremos evitar cualquier crítica sobre la forma en que administramos este generoso donativo; porque procuramos hacer lo correcto, no sólo delante del Señor sino también delante de los demás' (8.20–21). La seriedad con la que Pablo veía la colecta se expresa no solamente en su apelación a los corintios a completar la tarea y mandar la generosa contribución, sino también su administración responsable de toda la operación. Hay cuatro lecciones clave.

Trabajar juntos

Pablo hace referencia a varios de sus compañeros en la obra que compartían con él este ministerio. Tito era un gran partidario del proyecto (8.16–17). Estaba dispuesto a viajar a Corinto y se sentía entusiasmado ante la posibilidad de ocuparse de recibir el dinero. Iba acompañado por un hermano muy conocido, tan bien conocido que Pablo no necesita nombrarlo, pero hay algunos indicios de que pudo haber sido Lucas.[1] Pablo lo identifica en relación con su fiel servicio en el evangelio (8.18). Y había otro colaborador, al que se hace referencia en el versículo 22, también señalado como 'diligente'.

Aquí Pablo está demostrando que la colecta de la ofrenda estaba a cargo de siervos fieles y probados de las iglesias, hombres confiables, que estaban dedicados al evangelio. En Hechos 6, cuando la iglesia tenía que designar personas que debían aliviar a los apóstoles de tareas prácticas que demandaban tiempo, eligieron hombres 'llenos del Espíritu'. La cuestión es que cualquiera sea la tarea dentro de la comunidad cristiana, se requieren cualidades espirituales. Esto es importante en el área de la administración financiera, sea la de contar la ofrenda en un culto, o administrar la caja en la oficina, o la administración de los fondos de una organización cristiana. Los colaboradores de Pablo eran algunos de los mejores, y él podía confiar en su fiel ministerio y su participación entusiasta, como hombres de integridad y confianza.

En nuestras iglesias u organizaciones cristianas tenemos que tener el cuidado de asegurarnos de que las decisiones con respecto al dinero no sean hechas por una sola persona. Deberíamos asegurar que la información acerca de las finanzas no sea regida por una cultura del secreto sino por una cultura de transparencia. Se trata de un aspecto esencial del liderazgo con integridad en nuestros días, y en muchos países resultará ser contracultural. No deberíamos minimizar las presiones que tienen que enfrentar aquellos que trabajan en países con recursos muy limitados. Debido a presiones financieras y dificultades con el dinero efectivo disponible, la tentación de utilizar para fines diferentes los fondos ofrendados para un determinado propósito es, por cierto, muy real. El conflicto potencial de intereses es muy agudo para muchos cristianos: enfrentan apremiantes necesidades familiares, mientras al mismo tiempo manejan fondos considerables provenientes de fuera del país para construcción de edificios u otros proyectos de la iglesia. A quienes estamos en situaciones más cómodas nos resulta difícil ponernos en el lugar de estas tentaciones. Pero cualesquiera sean nuestras circunstancias, es preciso que le pidamos a Dios su gracia para actuar con honestidad.

Administración cuidadosa

Ese uso de colaboradores confiables formaba parte de una política de administración sabia. Pablo se ocupa de asegurar no solamente que se hagan bien las cosas, sino que se viera que se hacían correctamente (8.21). Primero, como hemos visto, los colaboradores eran esenciales a fin de que Pablo evitara cualquier crítica potencial (8.20). Está claro que se trataba de una ofrenda considerable, de modo que Pablo necesitaba colaboradores que lo acompañaran en su viaje para asegurar protección adecuada.

El trabajo como equipo es importante en todos los aspectos de la vida de la iglesia, debido a los beneficios especiales de los dones compartidos, el apoyo mutuo y la necesidad de aliento.

Pero un beneficio adicional y vital es la obligación de responder ante otros. Esto resulta particularmente importante en el área de la administración financiera.

Hasta el tesorero más confiable necesita trabajar con otros.

Segundo, como hemos visto, tales colaboradores tienen que ser colegas confiables dotados de las cualidades espirituales y prácticas adecuadas para la tarea. Es importante ser honestos aquí: en cuanto a su incidencia, la tentación a usar mal los fondos probablemente no esté lejos de la tentación sexual, no solamente entre los líderes sino entre los cristianos en general, aun cuando a veces los líderes enfrentan más oportunidades de ser tentados que los demás. Dado que puede tratarse de un ardid de Satanás para explotar una debilidad potencial, en los asuntos de la iglesia siempre es importante asegurar que haya una cuidadosa administración, semejante a la que empleaba Pablo. Hasta el tesorero más confiable necesita que otros trabajen con él o ella en el recuento del dinero y la firma de cheques, a fin de que '[procuremos] hacer lo correcto, no sólo delante del Señor sino también delante de los demás'. Lideramos con Dios a la vista. De modo que nuestro manejo del dinero tiene que ser transparente.

Crear un sentido de propiedad

Esta sección también refuerza el tema de la primera parte del capítulo: la ofrenda es en sí misma una expresión de comunión cristiana fraternal (8.4), pero la forma en que Pablo administró la colecta también reflejaba la solidaridad corporativa de las iglesias. Se refiere a esto cuando habla sobre sus colaboradores: el 'hermano que se ha ganado el reconocimiento de todas las iglesias … lo escogieron para que nos acompañe cuando llevemos la ofrenda' (8.18–19). Evidentemente había una sensación de propiedad en cuanto al proyecto, ya que las iglesias intervinieron en la selección del equipo de colaboradores. De forma semejante, el apóstol refuerza el sentido de participación cuando se refiere a Tito como 'mi compañero y colaborador entre ustedes … son enviados de las iglesias' (8.23). Esto no es simplemente iniciativa de Pablo o de Tito. Se trata de un proyecto compartido de las iglesias, todas las cuales experimentan un sentido de compromiso para lograr que se cumpla.

Que el manejo del dinero sea completamente transparente.

Esto también formaba parte de lo que Pablo les pedía a los corintios. Si sus colaboradores son representantes de las iglesias, entonces es importante que los corintios los respeten, recibiéndolos bien cuando lleguen con el fin de levantar la ofrenda, y demuestren su amor por sus hermanos en la fe mediante el compromiso práctico de dar. Esto formaba parte de su solidaridad para con otros, 'para testimonio ante las iglesias' ('para que las iglesias lo sepan', DHH) les dice Pablo (8.24). Esta actitud aumenta la confianza y crea compañerismo.

Si bien hay ocasiones cuando se requiere algún grado de confidencialidad, en especial si el donante desea que se proceda así, en casi todas las demás situaciones es mejor que el manejo del dinero sea completamente transparente. Una vez participé en una organización que decidió mantener reserva sobre los detalles financieros en cuanto a la asignación de fondos entre los miembros del equipo, quienes a su vez tenían la responsabilidad de distribuir fondos en diferentes lugares del mundo. Había buena razones para proceder así. Si otros obreros se enteraban acerca de las sumas de dinero que se destinaban a una región u otra, se daría lugar a celos o a malos entendidos. Pero en la práctica esta política generó un grado de sospecha. ¿Por qué tiene que ser secreto? ¿Hay una agenda oculta por parte del pequeño equipo financiero que retiene la información? Nos preguntábamos si hubiera sido mejor que la política fuese una de completa transparencia dentro del equipo, paralelamente a una cuidadosa explicación y el compromiso de afianzar la confianza. Pablo consideraba necesario que se viera que la ofrenda efectivamente se administraba con todo cuidado; y nosotros también deberíamos esforzarnos en 'hacer lo correcto, no sólo delante del Señor sino también delante de los demás'.

Honrando al Señor

Para reforzar el hecho de que la ofrenda es parte de su culto de adoración, Pablo se refiere varias veces a la importancia de honrar al Señor. La administración de la ofrenda por el equipo de colaboradores era para 'honrar al Señor' (8.19). Los cuidadosos procedimientos que adoptaron eran para asegurar que todo se hiciese correctamente 'delante del Señor' (8.21). Y los fieles colaboradores responsables de llevar la ofrenda eran 'una honra para Cristo' (8.23).

Nada se hizo de un modo improvisado o precipitado; no se dejó oportunidad para la crítica; no se permitió que nada deshonrara el nombre de Cristo. Esto debe ser así en todos los aspectos de nuestro propio trabajo. Nuestro propósito no consiste en mantener nuestra propia organización o reputación, o en atraer atención hacia nuestras propias habilidades y éxitos, sino en honrar a Cristo. Con esa meta está aquí la iglesia.

Si manejamos el dinero de esta manera, habrá un resultado productivo. Cuando el dinero se da con generosidad, hay un efecto multiplicador.

Primero, *el dador será enriquecido.* Pablo explica en el capítulo 9 que los corintios 'serán enriquecidos en todo sentido para que en toda ocasión puedan ser generosos' (v. 11). La provisión de Dios para ellos significará que podrán ser aun más generosos, porque esa es la forma en que Dios obra. Proporciona más para que podamos dar más.

Segundo, *el receptor se beneficia.* Lo que dan 'suple las necesidades de los santos' (9.12). El servicio de dar es un acto de culto de adoración, y la razón inicial de la colecta era la de resolver las necesidades de los cristianos en mala situación en Jerusalén. Ellos a su vez responderán con acciones de gracias en tanto Dios responde a sus necesidades.

Tercero, *la comunidad cristiana se beneficia.* La ofrenda sacrificada y generosa de los cristianos refleja el hecho de que han experimentado la gracia del evangelio y entendido la dinámica de la fraternidad cristiana. Pablo explica que la prueba convincente de su aceptación del evangelio era su obediencia práctica: los hombres 'alabarán a Dios por la obediencia con que ustedes acompañan la confesión del evangelio de Cristo' (9.13). La prueba la ofrecía su compromiso práctico de dar. Luego en el mismo versículo se refiere a 'su generosa solidaridad con ellos y con todos' (9.13). El dar tiene que ver con nuestro compromiso para con el evangelio de Dios y el pueblo de Dios. Una buena mayordomía, un espíritu generoso y el compromiso de vivir para otros más que para nosotros mismos, constituyen la inevitable consecuencia de la forma en que el evangelio cristiano hace un impacto en nuestra vida.

Cuarto, *Dios es alabado.* Este resultado es el más significativo de todos, y Pablo se refiere al mismo repetidamente. La generosidad de ustedes redundará 'en acciones de gracias a Dios' (9.11), 'también redunda en abundantes acciones de gracias a Dios' (9.12), y hará que los hombres '[alaben] a Dios' (9.13). La forma en que los cristianos dan y reciben dará gloria a Dios. La meta inmediata de la colecta era aliviar las necesidades de los cristianos pobres en Jerusalén, pero la meta última era propiciar el mayor honor y alabanza a Dios. Así es como deberíamos considerar la ofrenda en las iglesias, y la entrega de nuestra vida en generoso servicio para con otros. Esta es siempre nuestra meta última: la gloria de Dios.

A la par de la enseñanza de Pablo sobre los profundos fundamentos teológicos de nuestro sabio uso del dinero, podemos ver desplegada la integridad cristiana a cada paso en su manejo práctico del proyecto. No deberíamos subestimar las sutiles tentaciones que enfrentamos aquellos que controlamos presupuestos, contamos las ofrendas, o manejamos los gastos. En cada aspecto la integridad exige un equipo confiable, una administración transparente, una participación genuina y una clara conciencia de que servimos bajo la atenta mirada del Señor.

Ahora, tu turno...
Responde a tu llamado

- ¿De qué maneras te sientes tentado a ejercer tu autoridad inapropiadamente, y cómo te ves en comparación con la mansedumbre y la bondad de Cristo?

- ¿Hay alguien en tu red de relaciones a quien debes expresar perdón de una manera más directa?

- Ninguno de nosotros puede vivir con integridad sin a la vez sentir la desilusión de las fallas. Si estás particularmente consciente de esto, ¿cuáles son los pasos que puedes adoptar para recuperar la integridad?

- Acabo de recibir un correo electrónico de alguien que robó dinero en una conferencia cristiana hace quince años y ahora quiere poner las cosas en orden. ¿Hay áreas de manejo dudoso en tu administración del dinero (oficial o no oficial, mucho o poco) que habría que resolver por razones de integridad?

- Dentro de la comunidad cristiana, ¿dónde dirías que está el equilibrio entre la confidencialidad y la transparencia? ¿Cuáles son las circunstancias en las que debe mantenerse la confidencialidad, y cuáles son los beneficios de alentar la transparencia cada vez que sea apropiada?

EL LIDERAZGO
Y SUS DESAFÍOS

10 Debilidad y poder

No hace mucho conocí a un pastor oriundo de Letonia, llamado Josef Bondarenko. Hablamos en el Instituto Keston en Oxford, donde ofreció una conferencia sobre la vida de iglesia en los estados bálticos. Me interesaba conocerlo porque, siendo estudiante, yo tenía su fotografía en la pared de mi departamento. Era un pastor que servía en lo que entonces era la Unión Soviética, y era uno de muchas personas que habían sido encarceladas a causa de su fe. Yo tenía su fotografía, junto a otras treinta, ubicadas en mi pared como recordatorio para orar a diario por la iglesia bajo persecución. De hecho, este pastor sufrió tres períodos de encarcelamiento por proclamar el mensaje cristiano, y muchos años en el exilio en campamentos de trabajos forzados siberianos. En la conferencia que pronunció en Oxford algunos años después del colapso del imperio soviético, habló emotivamente del hecho de que su familia todavía sufría los resultados de ese período de privación y exilio, aunque a la vez compartía su determinación de perseverar en su llamado cristiano.

Desde luego, este es un ejemplo de lo que sigue ocurriendo en todo el mundo. Se ha estimado que en 1999 unos 164.000 cristianos murieron por su fe. En la actualidad unos 200 millones de evangélicos en treinta y cinco países sufren persecución directa y hostil. Es un recordatorio de que la clase de presión que enfrentó Josef Bondarenko todavía se ejerce sobre miles de cristianos en nuestros días.

Con frecuencia el servicio cristiano es muy sacrificado, y siempre costoso. No puedo menos que contrastar esto con las actitudes que a veces encontramos en la actualidad: que el ministerio cristiano es algo que puedo ejercer para sentirme completo como persona, para descubrir mi don o encontrar mi lugar en la iglesia. Por supuesto que hay un aspecto positivo en relación con el interés actual en descubrir nuestro ministerio y desarrollar nuestros dones. Indica que cada cristiano es necesario, que cada cristiano está llamado a servir a Dios, y que tenemos que ayudarnos unos a otros a descubrir ese ministerio y a ejercerlo con fidelidad. Pero lo cierto es que todo ministerio cristiano genuino es costoso. El cristianismo no es romántico, no es blando. El ministerio cristiano tiene su costo, y en 2 Corintios Pablo es realista en cuanto a esto. Pocos libros bíblicos plantean esto con más claridad que su testimonio en esta carta.

Mientras reflexionamos sobre el tema de la integridad en el liderazgo, me pregunto cómo vemos la cuestión de la debilidad. ¿Acaso las cualidades que buscamos en los líderes cristianos no son similares a los que esperaríamos encontrar en el ejecutivo principal de una empresa? ¿Habría muchas diferencias entre el perfil de liderazgo que elaboramos para una organización cristiana y una preparada para una organización no religiosa? Después de todo, esperamos fortaleza. Los líderes son personas que salen adelante. Son audaces, resueltos, tienen autoridad. Están en control. Hace algunos años la literatura sobre liderazgo se valía del 'lenguaje de poder'. Los ejecutivos visten trajes que evidencian autoridad, y llevan portafolios que indican capacidad de decisión. Conciertan acuerdos en desayunos que lucen poder. No reconocen ninguna debilidad, sino que exhalan confianza con cada paso que dan.

A mitad de camino en la campaña electoral en Gran Bretaña en el 2005, Charles Kennedy, el líder de los Demócratas Liberales, recibió burlas porque en una entrevista matutina televisada mostró confusión sobre el asunto de la política impositiva. Kennedy se defendió explicando que no había dormido bien como consecuencia del nacimiento de su primer hijo. Un reportero en un programa de televisión comentó que ese gesto lo mostraba más humano que los demás líderes partidarios y agregó: '... y eso no es lo que buscamos en un líder'. ¿Un líder humano? No es exactamente lo que queremos.

Como hemos visto, a Pablo le tocó enfrentar expectativas y reacciones similares. Fue criticado agresivamente porque no cumplía con la imagen de poder y de ser una celebridad. Pero el rasgo significativo de 2 Corintios es este: Pablo explica que en la raíz del mensaje cristiano, y por consiguiente en la raíz de todo ministerio cristiano, nos damos con una dolorosa paradoja. Es una paradoja que las personas seculares modernas, con su pasión por el poder y el prestigio, consideran una necedad. Pero para los cristianos es lo único que le da sentido al evangelio y a nuestro servicio cristiano. Lo encontramos en 2 Corintios 12.9, 'Te basta con mi gracia, pues mi poder se perfecciona en la debilidad'.

Esta palabra del Señor representaba un importante descubrimiento para Pablo. Llegó a entender su debilidad en relación con el mensaje evangélico que predicaba. ¿Qué era el evangelio, después de todo? Era Dios obrando a través de la debilidad del Jesús crucificado. El poder de Dios desplegado en la aparente debilidad y necedad de la cruz. No era ninguna sorpresa que el evangelio alcanzara a los gentiles por medio de la debilidad del apóstol. Lo que Pablo alcanzó a entender era que, al llevar a cabo la obra de Dios, los recursos humanos tienen sus límites. Observamos el tamaño y la urgencia de la tarea y lo comparamos con los recursos a nuestra disposición; observamos la oposición que encontramos y al dios de este mundo que está por detrás de ella, y podemos sentirnos agobiados, no solamente por la carga de las necesidades humanas alrededor de nosotros, sino con nuestra propia conciencia de incapacidad, duda o fragilidad.

Entender esto no es ser derrotista. Cuando Pablo reflexionaba sobre su debilidad estaba siendo realista. Había sido empujado hasta el límite de su resistencia, como explica en el catálogo de sus sufrimientos en 2 Corintios 11. Su tarea misionera lo estaba matando, literalmente. Y no se trataba sólo de la oposición que experimentaba de parte de quienes se oponían a la difusión del evangelio; no eran solamente las penurias físicas de las noches sin dormir y los múltiples apaleamientos. Una de las experiencias más penosas, como hemos visto, era la oposición que iba adquiriendo ímpetu dentro de la iglesia en Corinto. Después de todo lo que Pablo había hecho para ganarlos para el evangelio y compartir su vida con ellos, había algunos que estaban planteando dudas sobre su ministerio y sus motivaciones como apóstol. Pero Pablo había llegado a comprender que era precisamente a esta altura que se desplegaba el poder de Dios. Había entendido su debilidad a la luz de la teología de la cruz. Esas luchas eran una señal de su verdadero discipulado, el resultado de la comunión con Cristo y, más todavía, el prerrequisito esencial para el ministerio cristiano efectivo.

Pablo había entendido su debilidad a la luz de la teología de la cruz.

Es importante destacar que esa debilidad no se refiere a alguna versión desteñida de la fe cristiana. No es un cristianismo debilitado, licuado, incierto. Como lo explica Pablo en su carta, 'Así que, como tenemos tal esperanza, actuamos con plena confianza' (3.12). Fue valiente, decidido, y mostró muy poco temor al encarar el desafío de la misión en aquellos años. Más bien, Pablo describe su propia sensación de fragilidad e impotencia, su vulnerabilidad emocional, su sentido de ansiedad y tal vez incluso depresión, el dolor de la oposición y la persecución, todo lo cual soportó como siervo del Maestro sufriente para el cual actuaba como embajador. Había llegado a comprender que era a través de esa debilidad que se iba a desplegar el poder de Dios. De modo que podía jactarse de que 'cuando soy débil, entonces soy fuerte' (12.10). Cuando yo era niño, mi padre se valió de una ilustración simple pero memorable, y me alentaba diciéndome que los cristianos son como el té: su verdadera fuerza aparece solo cuando se agrega el agua caliente.

Pasamos ahora a la segunda parte de 2 Corintios 4 para explorar la forma en que Pablo pudo vivir con integridad, inmerso en las presiones del servicio cristiano.

La debilidad da ocasión al poder de Dios

Mediante el examen de 2 Corintios 4.1–6 hemos explorado las prioridades evangélicas que moldean nuestro ministerio. Nuestra meta es proclamar a Cristo de manera clara y fiel, por cuanto Dios 'hizo brillar su luz en nuestro corazón para que conociéramos la gloria de Dios que resplandece en el rostro de Cristo' (4.6). Pero mientras Pablo escribe sobre el poder y la gloria del evangelio, recuerda, por el contraste con su propia fragilidad y debilidad, que 'tenemos este tesoro en vasijas de barro' (4.7).

Esta es una de las conocidas metáforas de Pablo, que sugiere una cantidad de imágenes. Una es la de una lámpara de barro común. Lleva la luz, y cuantas más sean las quebraduras que tiene, tanto más brilla la luz a través de ellas. La segunda posibilidad es una referencia a la procesión triunfal de un ejército, acerca de la cual habló en 2 Corintios 2.14. Tal vez los jarros de barro sean las vasijas en las que, después de ganar una batalla durante la guerra, se mostraban valiosos tesoros. De este modo habría un claro contraste entre la vasija y el tesoro. Se trataba de vasijas ordinarias de barro, e incluso en nuestros días se las puede ver en uso en el Cercano Oriente a pesar de la disponibilidad del plástico. Se las usa para toda clase de fines, y se rompen con facilidad.

Lo que Pablo se propone es destacar el contraste, realzar la paradoja. Por un lado, la majestad y el poder del mensaje; por el otro, el mensajero frágil, débil y atormentado. Estaba penosamente consciente de las limitaciones que tenía por delante debido a la flaqueza de la naturaleza humana. La razón de que esto sea así es muy importante: 'para que se vea que tan sublime poder viene de Dios y no de nosotros' (4.7). El propio Pablo era un buen ejemplo de este principio. Al parecer, en términos de su apariencia física, difícilmente era un Arnold Schwarzenegger. Su estructura física pudo no haber sido muy impresionante, su expresión pudo no haber sido gran cosa, y probablemente tenía algún problema con la vista. Está bien así, nos dice, porque cuando la gente se convierta todos sabrán que se debe al poder del evangelio. Dijo algo muy semejante en su primera carta: '... que la fe de ustedes no dependiera de la sabiduría humana sino del poder de Dios' (1 Corintios 2.5).

Tenemos este tesoro en vasijas de barro.
2 Corintios 4.7

Como hemos visto, este es exactamente el caso con el evangelio mismo, como lo explica Pablo en 1 Corintios 1.25. 'La locura de Dios es más sabia que la sabiduría humana, y la debilidad de Dios es más fuerte que la fuerza humana.' La misma paradoja se refleja también en la congregación corintia. Dios escogió lo insensato, lo débil, lo más bajo y lo más despreciado, y de este modo confundió a lo fuerte. ¿Por qué hizo esto? 'A fin de que en su presencia nadie pueda jactarse' (1 Corintios 1.29).

En un excelente libro sobre el liderazgo, basado en exposiciones de 1 Corintios 1—4, John Stott destaca la paradoja que se expresa en estos versículos. 'Porque Dios escogió un instrumento débil (Pablo), para llevar un mensaje débil (la cruz) a gente débil (la clase obrera de Corinto). Pero mediante esta triple debilidad se manifestó (y se sigue manifestando) el poder de Dios.'[1]

Para reforzar este punto, en 2 Corintios 4 Pablo ofrece una serie de comparaciones con la intención de demostrar la debilidad que en forma habitual sentía en su ministerio, y la experiencia simultánea del poder de Dios. En los versículos 8–9 vemos una serie de contrastes. Se trata de un hábil trozo literario, por cuanto cada uno de los pares es un juego de palabras. Captan tanto el sentimiento como el estilo de lo que escribe Pablo en esta sección.

- Es posible que el primer par sea una ilustración del boxeo, cuando el boxeador le deja a su contrincante poco espacio para actuar, pero no puede arrinconarlo: 'atribulados ... pero no abatidos', o 'atribulados ... pero no angustiados' (RVR 95).
- El segundo par tiene un juego similar de palabras, parafraseado así por James Denney: 'arrinconado, pero no sometido'.
- El tercer par describe a Pablo sintiéndose acosado como un hombre perseguido: podríamos decir, 'perseguido por los hombres, pero nunca abandonado por Dios'.
- El cuarto par demuestra que, perseguido y aun apresado, nunca está completamente derrotado; podría decirse: 'derribado, pero no destruido', o 'derribado con frecuencia, nunca acabado'. O, como en la paráfrasis de J. B. Phillips, 'me pueden derribar pero no me pueden dejar fuera de combate'.

Pablo expresa aquí lo que los cristianos han experimentado a través de los siglos. Es la experiencia de la mayoría de los líderes cristianos: la de ser exigidos casi hasta el límite en nuestro servicio para Dios, sentirnos extenuados, sufrir las desilusiones, los contratiempos y las presiones. Todo el que se dedique a la obra de Dios experimentará esto. Pero la experiencia del pueblo de Dios es que, aunque nuestros recursos se acaben, no se acaban los de Dios. Es en los momentos de presión y debilidad, algunas veces en situaciones extremas, cuando estamos en la mejor posición para comprobar la gracia y el poder de Dios. Hemos conocido testimonios de que la cristiana holandesa Betsie ten Boom dijo valientemente en el campo de concentración de Ravensbrück durante el Segunda Guerra Mundial: 'Tenemos que decirles que no hay pozo tan profundo que Dios no esté más profundo todavía.' Esta es la esencia de lo que Pablo está describiendo. Por desesperadas que sean las circunstancias, el creyente cristiano puede conocer la presencia fortalecedora y la gracia de Dios.

Estos versículos constituyen un gran desafío y a la vez son un aliento para nosotros, aplicable en todas las áreas del servicio cristiano. Pero resultan de particular interés como motivo de reflexión en una época de triunfalismo evangélico. El misionólogo David Smith formula interrogantes perspicaces acerca de la tarea de la iglesia en un contexto global. Comenta, por ejemplo, sobre la literatura de las organizaciones misionales que promueve un espíritu de 'se puede' basado en el reconocimiento del poder disponible a través de los beneficios de la tecnología moderna. Comenta que 'Una consulta para considerar el cumplimiento de la Gran Comisión … se describe en términos que evidencian una fascinación con el poder de la tecnología'. Por ejemplo, el encuentro se llevó a cabo en una sala especial denominada 'Sala de Estrategia Global' que era 'como estar en el puente de mando del Enterprise …'. Entre 140 'Puntos para la Acción' y 168 'Metas Globales AD2000', el grupo reunido en esta atmósfera de *Star Trek* [*Viaje a las estrellas*] se proponía 'iniciar una cooperación entre 42 millones de computadoras de propiedad de otros tantos cristianos … crear una red electrónica mundial para la Gran Comisión … mantener un calendario computarizado de todos los acontecimientos relacionados pasados y futuros'.[2]

Todos estaríamos dispuestos a confirmar la importancia de la planificación estratégica y la participación global en la oración. Pero los que venimos de culturas dominantes y poderosas, como señala David Smith, debemos preguntarnos cómo habríamos de llevar a cabo la misión desde semejante posición; 2 Corintios nos muestra que los principios que deberían regir nuestras estrategias en el ministerio tienen que ser filtradas a través del cedazo de las prioridades del evangelio del Jesús crucificado. La integridad en el servicio cristiano exige esto.

Con frecuencia he reflexionado sobre la forma en que Isaías describió el ministerio del Siervo de perfil bajo en Isaías 42.

Quisiera apartarme brevemente, porque vale la pena reflexionar sobre las características del ministerio del Siervo como las presenta Isaías.

> **Dependencia:** 'Éste es mi siervo, a quien sostengo' (Isaías 42.1).

Voluntariamente Jesús abandonó todo aquello en lo cual podría haber confiado. Nacido en un pesebre, criado en una provincia despreciada y en una aldea de tercera categoría, equipado sin ventaja humana alguna en cuanto a riqueza o educación, sin una base de poder influyente y sin auspiciantes conocidos, este era el Siervo: obediente a y dependiente de su Padre. 'Mi siervo, a quien sostengo.'

> **Silencio:** 'No clamará, ni gritará, ni alzará su voz por las calles' (Isaías 42.2).

El énfasis acumulado describe un ministerio tranquilo y modesto. No se promociona, ni se interesa en el poder y el prestigio. La estrategia de la misión de Jesús era con frecuencia de perfil bajo, y por lo general con la gente pequeña y aparentemente insignificante.

> **Mansedumbre:** 'No acabará de romper la caña quebrada, ni apagará la mecha que apenas arde' (Isaías 42.3).

Ambas figuras de este versículo son imágenes de fragilidad. Para el Siervo nada es inútil. Sea como fuera que se la aplastara, por cerca que estuviera de extinguirse, puede ser restaurada. En su misión a los necesitados el Siervo se identificó con las debilidades de aquellos a quienes vino a salvar.[3]

En una era que tiene muy presentes a los medios, las iglesias y las organizaciones inevitablemente enfrentan la tentación de fortalecer su mercadeo y sus presupuestos para las relaciones públicas. Los líderes cristianos se sienten presionados a ofrecer una imagen de fortaleza e influencia. Pero el ministerio del Siervo, en Isaías, el Maestro en Galilea y el apóstol en Corinto todos dan a entender que hay otro modo. El poder de Dios se ve en la debilidad.

La debilidad es consecuencia de estar unidos a Cristo

¿Por qué todos los cristianos tienen que transitar esta senda? ¿Por qué es inevitable la experiencia de la debilidad? A partir de 4.10 en adelante, Pablo resume el tema y explica el valor de su experiencia en relación con el evangelio mismo. Pablo demuestra que su experiencia es un reflejo de la vida de Jesús encaminada hacia la muerte, y del poder renovador de Dios que levantó a Jesús de la muerte. He aquí la secuencia de versículos:

- 'Siempre llevamos en nuestro cuerpo la muerte de Jesús' (v. 10).
- 'Siempre se nos entrega a la muerte por causa de Jesús' (v. 11).
- 'Aquel que resucitó al Señor Jesús nos resucitará también a nosotros con él y nos llevará junto con ustedes a su presencia' (v. 14).

Pablo está diciendo que comparte la experiencia terrenal de su Maestro. Cuatro veces en los versículos 10–11 se refiere a 'Jesús' el hombre. Y la palabra que usa en el versículo 10 podría traducirse 'el Jesús que muere'; se trata del proceso de morir, de dar muerte, más bien que la condición final de la muerte. Pablo siempre pone de manifiesto el hecho de la muerte de Jesús. Cuando leemos los enunciados de sufrimiento de Pablo podemos entender esto. Hubo momentos en los que probablemente parecía ser alguien en el proceso de morir, alguien que estaba siendo crucificado. En otros escritos expresa esto en términos gráficos:

- … participamos abundantemente en los sufrimientos de Cristo … 2 Corintios 1.5
- … pues si ahora sufrimos con él … Romanos 8.17
- … yo llevo en el cuerpo las cicatrices de Jesús … Gálatas 6.17

De manera que si eres cristiano, unido a Cristo, no hay forma de eludir esto, y deberíamos sospechar de cualquier vida o expresión de espiritualidad cristiana que procure erradicar esta debilidad. Somos discípulos de Jesús crucificado. Vivimos en unión con él. Pero si estamos unidos a Jesús en su muerte, también estamos unidos en su resurrección. Compartimos con Jesús el sufrimiento y la gloria, dado que nuestra vida está entrelazada con la de él.

- … se nos entrega a la muerte … para que también su vida se manifieste en nuestro cuerpo mortal … 2 Corintios 4.11
- … aquel que resucitó al Señor Jesús nos resucitará también a nosotros con él … 2 Corintios 4.14

La resurrección no está limitada a una vida futura, sino que ya es parte de nuestra experiencia actual. De modo que ahora la vida de Jesús se manifiesta en nuestro cuerpo.

- … moribundos, pero aún con vida … 2 Corintios 6.9
- Es cierto que fue crucificado en debilidad, pero ahora vive por el poder de Dios. De igual manera, nosotros participamos de su debilidad, pero por el poder de Dios viviremos con Cristo para ustedes … 2 Corintios 13.4

Esto transforma nuestra perspectiva en cuanto a los muchos desafíos asociados con nuestro servicio cristiano. No somos inmunes a las presiones, por cuanto son consecuencia de nuestra asociación con Jesús. El propósito de Dios no es el de eludir las debilidades y las dificultades, sino transformarlas.

La debilidad produce dependencia.

Recuerdo mi primera experiencia de navegar. Me uní a una tripulación que circunnavegaba la isla de Mull cerca de la costa de Escocia. El tiempo se presentaba bastante tormentoso y el barco estaba inclinado a lo que parecía ser un ángulo de 45 grados. Esa fue una ocasión en la que tener una pierna más corta que la otra, como es mi caso, constituía una clara ventaja. ¡Todos los demás se estaban cayendo mientras que yo me mantenía derecho! Utilizamos la maniobra un tanto incómoda de navegar de 'bolina', enfrentando el viento y virando por avante en una dirección y luego en otra. Resultaba penosamente lento, pero estábamos utilizando los vientos que nos eran contrarios con el objeto de seguir adelante. Esto me parece un modelo realista del discipulado cristiano. Cuando enfrentamos dificultades, Dios no nos va a elevar al cielo, sino que transformará esas circunstancias de manera que sirvan para cumplir su propósito. El mal pierde la iniciativa. Dios toma esos vientos que nos son contrarios y los utiliza para impulsarnos a seguir adelante.

La debilidad es productiva

Lejos de ser un impedimento, la debilidad produce una serie de resultados positivos que Pablo enumera en los últimos versículos de 2 Corintios 4. La sensación de paradoja prosigue, y muestra que cuando más vapuleado está, tanto mejor será para la causa de la misión cristiana. Se dan tres resultados productivos.

Produce dependencia

Sobre la base de su confianza en Jesús, Pablo podía continuar su ministerio de predicar el evangelio. Aun cuando fuera una experiencia costosa en término de sufrimiento personal, no podía quedarse callado. En 4.13 cita el Salmo 116.10, que registra el hecho de que el salmista había sido librado de una experiencia casi mortal y de su profundo impacto emocional. Quizá se trataba de una experiencia similar a la que Pablo describe en 2 Corintios 1. Dios había salvado al salmista, y Dios había salvado a Pablo. De modo que ahora estaba decidido a no abandonar ('no nos desanimamos', 4.16) sino que continuará con el mismo espíritu de fe que el salmista. 'Creí, y por eso hablé.'

En el capítulo 1 Pablo demuestra cómo funciona esto. Tal era la presión de sus sufrimientos que casi desesperaba de seguir con vida; pero el resultado final fue una resuelta confianza en Dios, una dependencia que de otra manera jamás habría adquirido. 'Pero eso sucedió para que no confiáramos en nosotros mismos sino en Dios, que resucita a los muertos' (1.9). Así será para nosotros. Las presiones generarán un fortalecimiento de nuestra fe. Darán como resultado lo que Jim Packer llama 'santidad adulta'.

Beneficia a otros

- 'Así que la muerte actúa en nosotros, y en ustedes la vida' (4.12).
- 'Todo esto es por el bien de ustedes' (4.15).

En el capítulo 4 sugerimos que el servicio cristiano tenía una orientación básica. Los líderes no dicen 'aquí estoy', sino 'allí están ustedes'. Su trabajo es para el beneficio de otros, 'por amor a ustedes'. Ahora en 2 Corintios 4 Pablo declara esto en forma más directa, cuando concluye su testimonio con respecto a las debilidades que ha experimentado. 'La muerte actúa en nosotros, y en ustedes la vida.' Es posible que haya algún grado de ironía aquí, una deliberada broma dirigida a los corintios, quienes, como lo sugiere Tom Wright, 'creen que lo único que tienen que tener es la vida de Jesús, mientras que él tiene la muerte de Jesús'. ¿Los está desafiando a pensar con más cuidado sobre lo que significa identificarse con la muerte de Jesús?[4]

También podemos entenderlo con referencia al capítulo 1: 'Si sufrimos, es para que ustedes tengan consuelo y salvación' (1.6). Su experiencia de la muerte realmente sirve para proporcionar vida y salvación para los corintios. Ellos son los que se benefician por todo lo que pasó Pablo. De modo que en 4.15, el '[todo] esto', incluidos su sufrimiento y su muerte, es para beneficio de ellos.

Ese es un aspecto incómodo de nuestro llamado como líderes cristianos: el de sacrificarnos para beneficio de aquellos a quienes servimos. No estoy seguro de que sea una expectativa común de los líderes. ¿Acaso no habremos alcanzado una posición en la que otros hacen los sacrificios? No es así. La conexión está en el texto, al que nos referimos cuando describíamos nuestro llamado a servir a otros en el capítulo 4. Era para 'el bien de ustedes', por amor a los corintios (4.15), porque era 'por causa de Jesús' (4.5).

The 48 Laws of Power [Hay trad. al cast.: Las 48 leyes del poder], de Robert Greene, se ofrece como 'la guía definitiva para la manipulación moderna'. El libro puede verse en la sección comercial de las librerías de los aeropuertos, y podría tratarse de humor, pero se acerca a la verdad en términos de actitudes contemporáneas. Su enfoque se encuentra en el otro extremo de 2 Corintios. Se percibe el tono a partir de algunas de las 'leyes de poder' que enumera.

> Ley 2: Nunca confíes demasiado en los amigos, aprende cómo utilizar a los enemigos.
> Ley 3: Oculta tus intenciones.
> Ley 6: Procura atención a toda costa.
> Ley 7: Haz que otros hagan tu trabajo, pero siempre llévate el crédito.

Ley 20: No te comprometas con nadie.
Ley 42: Hiere al pastor y las ovejas se dispersarán.

'La clave para tener poder,' sugiere Greene, 'es la habilidad para juzgar quién es el más capaz de lograr tus intereses en todas las situaciones.'[5] En contraste, hagamos una pausa para reflexionar sobre algunas claves paulinas para un liderazgo efectivo:

- Si sufrimos, es para que ustedes tengan consuelo y salvación. 2 Corintios 1.6
- La muerte actúa en nosotros, y en ustedes la vida. 2 Corintios 4.12
- Todo esto es por el bien de ustedes. 2 Corintios 4.15
- De buena gana gastaré todo lo que tengo, y hasta yo mismo me desgastaré del todo por ustedes. 2 Corintios 12.15
- Aunque mi vida fuera derramada sobre el sacrificio y servicio que proceden de su fe, me alegro y comparto con todos ustedes mi alegría. Filipenses 2.17
- Me alegro en medio de mis sufrimientos por ustedes, y voy completando en mí mismo lo que falta de las aflicciones de Cristo, en favor de su cuerpo, que es la iglesia. De ésta llegué a ser servidor según el plan que Dios me encomendó. Colosenses 1.24–25
- Por el cariño que les tenemos, nos deleitamos en compartir con ustedes no sólo el evangelio de Dios sino también nuestra vida. 1 Tesalonicenses 2.8
- Todo lo soporto por el bien de los elegidos, para que también ellos alcancen la gloriosa y eterna salvación que tenemos en Cristo Jesús. 2 Timoteo 2.10

No se venderá en las librerías de los aeropuertos, pero es la ley de la gracia del servicio cristiano que nace del evangelio de Jesucristo. La debilidad en nuestro ministerio será para el beneficio eterno de aquellos a los cuales servimos.

Da como resultado la gloria de Dios

> Todo esto es por el bien de ustedes, para que la gracia que está alcanzando a más y más personas haga abundar la acción de gracias para la gloria de Dios.
>
> 2 Corintios 4.15

He aquí la tercera conclusión positiva de Pablo. Todas las pruebas que en la actualidad soporta adquieren su perspectiva por el hecho de que no solo son para el beneficio de los corintios, sino, de modo más importante, son para la gloria de Dios. Ser un ministro del evangelio era una tarea ardua. Le costó todo lo que tenía. No estaba dedicado a ese servicio para obtener ganancias personales, sino para la gloria del Dios que lo llamó a ese ministerio. En última instancia dio como resultado lo único que realmente importa: la gloria de Dios.

La secuencia en el versículo 15 es una hermosa descripción del impacto del evangelio:

- el evangelio alcanza a más y más personas;
- el resultado es más y más acción de gracias;
- la acción de gracias se desborda hacia una mayor declaración de la gloria de Dios.

Podemos aguantar bastante si sabemos lo que será el resultado final. Aquí Pablo lo expresa de un modo profundamente conmovedor. ¿Cuál es el resultado de todo el desaliento, la presión, la crítica, el costo personal? Es una secuencia de realidades eternas: la gracia de Dios impacta a una mayor cantidad de vidas, el pueblo de Dios se regocija ante sus victorias, la gloria de Dios es la meta final de todo lo que hemos pasado.

11 El estatus y la verdadera ambición

> Cierta vez el diablo iba cruzando el desierto de Libia, y llegó a un lugar donde un grupo de espíritus malignos estaban atormentando a un santo ermitaño. El santo se libró fácilmente de sus perversas sugerencias. El diablo observó el fracaso de los espíritus malignos, y se adelantó para darles una lección. 'Lo que hacen es demasiado torpe,' les dijo. 'Permítanme por un momento.' Entonces le susurró al santo varón: 'Tu hermano acaba de ser designado obispo de Alejandría.' De inmediato una mirada de malévolo celo nubló el sereno rostro del ermitaño. 'Algo así,' les dijo el diablo a sus diablillos, 'es lo que yo recomendaría.'[1]

Pocos somos inmunes a la 'ansiedad por el estatus', como se le dice ahora. Alain de Botton la define de esta manera: 'Es una preocupación perniciosa, capaz de arruinar extensos tramos de nuestra vida y ponernos en peligro de no poder acomodarnos a los ideales de éxito establecidos por nuestra sociedad, y a consecuencia de ello vernos privados de dignidad y respeto; es la preocupación de que estemos ocupando actualmente un escalón demasiado modesto o estemos a punto de caer a uno más bajo.' Dice este autor que podemos detectar esta ansiedad en las personas de diversas maneras, entre ellas 'Un silencio demasiado largo después de alguna noticia sobre los éxitos de alguna otra persona'.[2]

Los líderes cristianos no son inmunes a esto. Con frecuencia sentimos ansiedad en cuanto a cómo nos ven los demás. La ansiedad en cuanto a la posición que ocupamos se manifiesta con sorprendente frecuencia. A veces la detectamos cuando la gente afirma que una determinada tarea está por debajo de su nivel. Una vez trabajé con alguien que no dejaba de decir 'pero esto no está en mi descripción de trabajo'. Algunas veces tiene que ver con una insistencia en que se observe la 'jerarquía' como corresponde. Conozco a alguien que insiste que en público siempre se use la designación de 'reverendo' que le corresponde. Jo Owen, uno de los fundadores de la iniciativa denominada 'Teach First' [Primero enseña], que toma egresados y los coloca en escuelas primarias en los barrios por dos años antes de que pasen al sector corporativo, habla en su libro *How to Lead* [Cómo dirigir] sobre estilos de liderazgo. Sugiere que se puede detectar la categoría del 'aristócrata' de esta manera: "Pregúntale a alguien lo que hace. Si contesta, 'Soy socio/vice-presidente/gerente general/director de …', no te está diciendo lo que hace. Te está hablando sobre su título y su posición. Esto es lo que es importante para él. El trabajo y los logros son barreras incómodas, vallas que hay que saltar camino al título y la posición."[3] Pero creo que el asunto es más sutil todavía. A veces juzgamos el estatus o la posición de una persona con las normas del mundo relacionadas con el activismo y los logros.

El estar ocupado es 'el nuevo símbolo de honor'.

En un trabajo reciente del Institute for Social and Economic Research [Instituto para la Investigación Social y Económica], se sugirió que el estar ocupado es 'el nuevo símbolo de honor'. Trabajar muchas horas y permanecer hasta tarde en la oficina está convirtiéndose en un símbolo de estatus. Esta puede ser una tentación sutil para los líderes cristianos también. A veces nuestro empuje y activismo no son el resultado de las exigencias de nuestro trabajo, sino de las expectativas de otros. En una ocasión Eugene Peterson escribió un ensayo titulado 'The Unbusy Pastor' [El pastor poco atareado], en el que dice que si visitas el consultorio de un médico y encuentras que nadie lo está esperando, y miras a través de la puerta y lo encuentras leyendo, naturalmente comienzas a preguntarte si será bueno como médico. Con seguridad que un buen médico tiene que estar desesperadamente ocupado, y habrá gente haciendo fila para que los atienda. A veces nuestro activismo es resultado de nuestro propio deseo de que se nos vea como personas importantes. (Peterson sugiere que 'el adjetivo *ocupado*, o *atareado*, utilizado como modificador de *pastor* debería sonar en nuestros oídos tan inadecuado como la palabra *adúltera* para caracterizar a una esposa o el término *malversador* para describir a un banquero. Es un atroz escándalo, una afrenta blasfema.' ¡Ojalá!)[4]

También enfrentamos la tentación de hacer a un lado el servicio y el sacrificio y valernos del lenguaje del éxito. Con frecuencia las comparaciones entre iglesias pueden medirse en base a números, en base al nivel de actuación, en base a los ingresos, o en base a la reputación. Los líderes de las iglesias pueden medirse por la senda que ha seguido su carrera, por su capacidad de oratoria, por su influencia en el mundo evangélico, o por el tamaño de su iglesia. Tony Campolo sugirió en una ocasión que la tendencia de las iglesias que crecen, de iniciar programas de edificación, nace del hecho de que los líderes podrían estar sufriendo de un 'complejo edificador': la necesidad de 'erigir un monumento a su exitoso liderazgo'. No estamos inmunes a las tentaciones del éxito y el estatus.

Las lecciones de la defensa de Pablo ante los corintios son muy oportunas. Sentimos algo de la incomodidad que evidentemente experimenta el apóstol. No se trata simplemente de la incomodidad asociada con las críticas que está recibiendo, sino la incomodidad de tener que escribir sobre sí mismo, de 'jactarse de' o 'recomendarse a' sí mismo. Pero los corintios lo han obligado a hacerlo y, en lo que falta de la carta desde el capítulo 10 en adelante, tendrá que 'jactarse' con el fin de exponer la retórica vacía de los maestros que están atrapando la mente y el corazón de los creyentes por los que tanto se preocupa el apóstol.

Aunque va a contrapelo, como veremos, Pablo hábilmente le devuelve la pelota a aquellos para quienes esa jactancia forma parte integral de su vida egocéntrica. Las lecciones de la parte final de 2 Corintios 10 sirven de recordatorio del aspecto que tiene la ambición verdadera para el siervo del Señor.

La necedad de la promoción personal

Primero, Pablo se burla de sus críticos en Corinto mostrando lo necios que son al recomendarse a sí mismos. De hecho, hay aquí una buena proporción de sarcasmo, como lo demuestra la paráfrasis de J. B. Phillips: 'Por supuesto, no deberíamos osar incluirnos en la misma clase de aquellos que escriben sus propias recomendaciones. Ni siquiera deberíamos osar compararnos con ellos' (10.12).

No cabe duda de que esos maestros llegaron a Corinto llevando cartas especiales de recomendación. Yo me crié dentro de una tradición cristiana en la que tales cartas eran comunes. Si nuestra familia iba de visita a otra iglesia mientras estábamos de vacaciones, era probable que mi padre llevara una carta de parte de nuestra iglesia, presentándonos ante la nueva congregación. Si bien en nuestra familia a veces se la consideraba como una carta de 'control' más que de recomendación, en realidad cumplía una función valiosa. Se trataba de una atenta expresión de cortesía cristiana y de comunión entre congregaciones. En el mejor de los casos, tomaba en serio la cuestión de la responsabilidad tanto como de la recomendación cristiana, y todavía tengo presente la sensación de bienvenida y de afecto que generaba esa clase de presentación.

La ironía de Pablo, no obstante, está orientada hacia algo muy diferente. Los testimonios a los que se refiere eran cuidadosamente elaborados por los falsos maestros; eran escritos y firmados por ellos mismos. De modo que no era de sorprender que se dieran con algo semejante a su propia manera de obrar. A veces podemos correr el peligro de caer en la misma trampa. Las iglesias pueden compararse con otras de conformidad con determinados criterios, o pueden tener en su propia comunidad grupos que definen lo que es verdaderamente espiritual según sus particulares criterios. Como lo expresó James Denney, 'Constituyen una camarilla religiosa, una especie de pandilla o círculo en la iglesia, que ignora a todos excepto a sí mismos, y se consideran los únicos que ostentan lo que es verdaderamente cristiano.' En la década de 1990 en el Reino Unido solíamos hablar de las diecisiete tribus en el mundo evangélico, y es indudable que el número ha aumentado.

La prueba de lo auténtico será el fruto permanente de nuestra labor demostrada en vidas transformadas.

La verdadera prueba de autenticidad en el ministerio cristiano no es qué clase de recomendación podemos escribir por nuestra cuenta. No es el tipo de sitio que nuestra iglesia ofrece en la Internet, o cuán impresionante pueda ser su publicidad. Me temo que tenga muy poco que ver con títulos y rangos dentro de la jerarquía eclesiástica de la cristiandad, que se emplean con frecuencia (y equivocadamente) para recomendar a un líder. Más bien, la prueba de lo auténtico será el fruto permanente de nuestra labor demostrada mediante vidas transformadas, iglesias establecidas y cristianos que avanzan en su fe.

De modo que Pablo sostiene su argumento explicando el fundamento de su 'jactancia'. Nos ayuda a entender cómo debería ser la verdadera ambición en el servicio cristiano.

El fundamento para la recomendación del Señor

Pablo demuestra una vez más que es un hombre íntegro: no piensa jactarse de ningún trabajo que no haya logrado cumplir. Antes bien, la demostración de su apostolado se ve en el 'campo' de operaciones que Dios le asignó (10.13). La palabra para 'campo' también puede traducirse 'medida', de modo que podría significar un 'área medida'. Es posible que Pablo esté describiendo el territorio que era su responsabilidad especial. Se trataba de la división de tareas a la que se hace referencia en Gálatas 2, y que para Pablo incluía a Corinto. Es el campo 'que Dios nos ha asignado' (10.13). Por eso dedicaba todas sus energías a sus labores apostólicas, por eso invertía tanto esfuerzo para establecer la iglesia en Corinto, y por eso ahora se sentía tan aturdido al pensar que la iglesia podía rechazar no sólo a su apóstol sino quizás al evangelio mismo.

También podía querer decir que, si alguien se jacta por algo, es importante que tenga una 'medida' adecuada mediante la cual estimarlo. Es decir que Pablo podría estar diciendo que él verdaderamente está a la altura en lo que corresponde a su apostolado.[5] La prueba de su apostolado era el hecho de que les había traído el evangelio. Si este no hubiera llegado a Corinto, entonces desde luego que no habría fundamento alguno para su jactancia. 'Si no hubiéramos estado antes entre ustedes, se podría alegar que estamos rebasando estos límites, cuando lo cierto es que fuimos los primeros en llevarles el evangelio de Cristo' (10.14). Los creyentes de Corinto sabían cómo había obrado entre ellos, y su existencia como iglesia se debía a sus esfuerzos.

No hay ninguna necesidad de robar la alabanza que les corresponde a otros. Siempre es odioso, por cierto, y jamás logra lo que se espera. En cambio, tenemos que ser sinceros para con nuestro llamado divino. En el caso de Pablo, los cristianos de Corinto constituían evidencia suficiente de la gracia de Dios en operación. Ellos eran su recomendación, como había dicho antes en la carta (3.2).

Es bueno leer estos versículos, ya que es muy fácil sacar partido de lo que hacen otros. Este es otro aspecto de la integridad ante el que es preciso que estemos alerta. No hace mucho pregunté a un amigo cómo andaban las cosas en una ciudad en la que yo había vivido, y me dijo que se estaban estableciendo más y más iglesias en una ciudad pequeña que no las necesita. A menudo esas iglesias están formadas por los malquistados de otras partes, y se levantan en base a lo que llamamos 'crecimiento por transferencia'. Existe el alto riesgo de atribuirse crédito por el tesonero trabajo de otros. O tal vez algún líder sea alabado por alguna obra cuando en realidad el esfuerzo se debió en buena medida al esforzado trabajo de un equipo, ya sea de colegas, de un ayudante, o incluso los miembros de su propia familia. Es una tentación guardar silencio, aceptando la adulación o el crédito que más acertadamente les corresponde a otros.

El antídoto consiste en ser fiel a aquello para lo cual Dios nos ha llamado. Si somos fieles en esa tarea, no sentiremos ninguna necesidad de mirar por sobre el hombro a lo que hacen otros, ni de buscar ansiosamente la aprobación de otros. Más bien, 'nos empeñamos en agradarle' (2 Corintios 5.9).

Nuestra verdadera ambición

El enfoque del ministerio de Pablo en los versículos finales de 2 Corintios 10 indica sus prioridades misioneras. Su esperanza consistía en que su ministerio pudiera continuar en Corinto, y hace referencia a dos desarrollos potenciales significativos: consolidación y misión. Habiendo comenzado la tarea, resultaba vital que la continuara. Quería asegurarse de que la fe de los corintios creciera (10.15).

Esto resultaba central para la estrategia misionera de Pablo. Le preocupaba la profundidad tanto como la amplitud, la consolidación a la vez que la extensión. Quería ver congregaciones maduras formadas por discípulos consagrados, no simplemente estadísticas sobre el número de convertidos en cada ciudad. Esto sigue siendo parte de la integridad de la misión cristiana hoy, y constituye un elemento esencial de nuestra obra. La evangelización, la formación de iglesias y la tarea de nutrir a las congregaciones para lograr su madurez conforman un todo orgánico, y la misión de Pablo incluía todo el espectro desde la proclamación inicial hasta el discipulado cristiano maduro.

Si van a jactarse de algo, que no sea de sus propios logros.

En contraste con la adulación de sí mismos de los que criticaban a Pablo en Corinto, con su ego inflado, con las recomendaciones prolijamente dactilografiadas y su persistente promoción personal, Pablo en cambio cita a Jeremías para apoyar su posición. Si van a jactarse de algo, que no sea de sus propios logros. No se gloríen por lo que hacen para el Señor, sino gloríense en el Señor. 'Si alguien ha de gloriarse, que se gloríe en el Señor' (10.17). Lo que cuenta realmente en el servicio cristiano es la aprobación del Señor. 'Porque no es aprobado el que se recomienda a sí mismo sino aquel a quien recomienda el Señor' (10.18).

Esta es la recompensa que realmente cuenta, esta es la ambición de los líderes consagrados: no la recompensa del reconocimiento y el éxito humanos, sino la recomendación del Señor. Algunos podríamos sentirnos tentados a manifestar orgullo por nuestros logros como cristianos, o a considerar nuestros dones o posición dentro de la comunidad cristiana como logros personales importantes y como indicación de que podemos ser recomendados como miembros valiosos de la iglesia. Algunas de nuestras iglesias u organizaciones podrían sentirse tentadas a publicar relatos optimistas sobre grandes logros, felices de ser conocidas como centros de excelencia cristiana, y secretamente orgullosas de su ministerio efectivo. Para todos los que nos sentimos tentados a pensar de este modo, Pablo nos recuerda que 'no es aprobado el que se recomienda a sí mismo'. Hay muchas iglesias que no aparecen en los periódicos cristianos, que no tienen imágenes que brillan, pero que son consecuentemente fieles en lo que hacen para el Señor en entornos difíciles y con muy poca recompensa visible.

Escribiendo sobre el tema del éxito, Jim Packer sugiere:

> Orientar la acción cristiana hacia la meta del éxito visible, un camino que a muchos líderes modernos les parece sumamente sensato y práctico, es más una debilidad que una fortaleza; es un semillero tanto para la vanagloria de los éxitos personales como para la desesperación ante los aparentes fracasos, y es una fuente de superficialidad y de trivialidad en todo sentido ... En el análisis final no sabemos y no podemos saber la medida del éxito como lo ve Dios. La sabiduría advierte: deja la calificación del éxito a Dios, y vive tu cristianismo como una religión de fidelidad antes que de idolatría de los logros.[6]

En todas las iglesias hay cristianos que sirven silenciosamente a Cristo, que trabajan con sacrificio y rara vez reciben reconocimiento o agradecimiento. ¿Vale la pena realmente? A esos cristianos, las palabras de Pablo deberían constituir un profundo motivo de aliento: la verdadera recompensa es la recomendación del Señor. Esas personas recibirán lo que realmente cuenta.

La noticia de la muerte de un amigo que dedicó toda su vida al servicio cristiano nos llegó vía el correo electrónico. Contenía las palabras que Pablo escribió en los momentos en que él también llegaba al final de su vida. 'He peleado la buena batalla, he terminado la carrera, me he mantenido en la fe. Por lo demás me espera la corona de justicia que el Señor, el juez justo, me otorgará en aquel día; y no sólo a mí, sino también a todos los que con amor hayan esperado su venida' (2 Timoteo 4.7–8).

La recompensa última, y por consiguiente la verdadera ambición para todos los que estamos ocupados en el servicio cristiano es oír que el Señor nos diga '¡Hiciste bien, siervo bueno y fiel!' (Mateo 25.21).

12 El orgullo y el llamado a la humildad

Hace muchos años, David Christie observó que los ministros cristianos enfrentan tres tentaciones: 'la de aplastarse, la de destacarse y la de quejarse'. ¡Es una observación que hace pensar! Una tentación seria en el servicio cristiano, particularmente si Dios nos concede una medida de éxito, es la de volvernos egocéntricos. Nuestra motivación se distorsiona y nuestro ministerio pierde integridad. Constantemente nos enfrentamos con el insidioso enemigo del servicio cristiano: el pecado del orgullo.

Eugene Peterson hizo una observación astuta en un artículo sobre el tema de la 'santidad vocacional'.

> Cualquier cristiano corre riesgo ante las tentaciones. Pero quienes cumplimos tareas definidas explícitamente como 'cristianas' (pastores, maestros, misioneros, capellanes) vivimos en un entorno particularmente riesgoso, dado que la naturaleza misma de la tarea ofrece una constante tentación a pecar. Este pecado es, para darle su nombre antiguo, el orgullo. Con frecuencia es casi imposible identificar al orgullo, especialmente en sus primeras etapas. Se parece a y se siente como una entrega enérgica,

> un celo sacrificado, una devoción desprendida. Nos hacemos cristianos porque estamos convencidos de que necesitamos un Salvador. Pero apenas ingresamos en la vida de ministerio nos dedicamos a actuar de parte del Salvador.[1]

La jactancia es un tema recurrente en los escritos paulinos, y en 2 Corintios 11 encontramos cuál es el motivo legítimo de la jactancia cristiana. 'Si me veo obligado a jactarme, me jactaré de mi debilidad' (11.30). Como hemos visto, Pablo se enfrenta a opositores que dudaban de sus derechos apostólicos y que se jactaban de sus propias calificaciones y experiencias espirituales superiores. Estos supuestos 'superapóstoles' estaban captando la mente y el corazón de los creyentes de Corinto, y a Pablo le preocupaba la posibilidad de que la iglesia fuera descarriada. El lado serio del problema no era tanto el carácter desagradable de la jactancia, aunque era repulsiva por cierto, sino la premisa que yacía debajo de la superficie. Los falsos maestros veían su linaje y su experiencia espirituales como el fundamento de su vida y su potencial influencia. Lejos de confiar en Cristo y en su evangelio, se jactaban sobre su alcurnia o su vida espiritual o sus habilidades humanas. Por eso su jactancia representaba un abandono de todo lo que Pablo había enseñado a los corintios acerca del evangelio.

Cada día pesa sobre mí la preocupación por todas las iglesias.
2 Corintios 11.28

Al describir los principales rasgos de su ministerio le interesaba particularmente ayudar a los corintios a observar los fundamentos de ese llamado. ¿Qué era lo que lo autorizaba a servirles? En una extraordinaria lista de 'logros', Pablo ofrece en el capítulo 11 un *currículum vítae* que demuestra que la debilidad era la característica principal de su apostolado. Esto es exactamente lo opuesto de lo que sus opositores podrían esperar. Pero era deliberado, porque jactarse de la debilidad inevitablemente desviaba la atención de sí mismo hacia otras prioridades, las de

Cristo. No había lugar para el orgullo en la persona que sabía que había sido salvada por gracia.

En lugar de registrar sus victorias, Pablo presenta un catálogo de sus sufrimientos. En lugar de proclamar sus grandes fortalezas, expone sus debilidades. Leer el enunciado tal como aparece, produce un impacto por sí mismo, y nos sobrecoge ver la variedad y la intensidad de los sufrimientos que soportó como apóstol. No debemos subestimar la importancia de esta sección de 2 Corintios para la integridad cristiana. ¿Cómo puede ayudarnos Dios a vencer nuestro orgullo humano? ¿Cómo puede hacernos entrar en razón y orientarnos hacia la humildad? Casi siempre será mediante las crisis, los fracasos, o las experiencias de debilidad. Con frecuencia estas son las cosas que Dios utiliza para devolvernos la perspectiva y producir una humildad semejante a la de Cristo.

Una gran frustración

Primero, en el capítulo 11 el apóstol enumera las múltiples ocasiones en las que encontró oposición cuando predicaba el evangelio, desde la prisión hasta el azotamiento. Más de una vez estas experiencias lo llevaron muy cerca de la muerte. Después enumera los diversos peligros físicos que acompañaron sus miles de millas o kilómetros de viajes, e incluye dentro de estos viajes los peligros representados por delincuentes y por falsos hermanos. A la par de estos peligros sufrió el desgaste físico y emocional del incesante trabajo, la falta de descanso y los efectos perniciosos del hambre y el frío.

En lo que aparece como una breve posdata menor, agrega: 'Y como si fuera poco, cada día pesa sobre mí la preocupación por todas las iglesias' (11.28). Conocemos algo de esta preocupación por su correspondencia con los corintios. Pero multipliquemos esto varias veces más, como sería el caso de un apóstol que inició tantas congregaciones, y cuyo corazón pastoral era tan grande, y tendremos una idea del peso de la responsabilidad y el sentido de presión que Pablo soportó constantemente.

Se trata de una lista muy compacta, pero no requiere mucha imaginación reconstruir la clase de vida a la que le tocó hacer frente a este hombre. A diferencia de los grandes líderes del momento tenidos en alta estima, Pablo no relata ninguna de sus victorias, no menciona multitudes admiradas, no hace una lista de prestigiosas conferencias. Pablo elige magnificar sus debilidades. No es ningún héroe biónico, ni un gurú espiritual, ningún personaje de éxito de las tradiciones clásicas de su época. Está cansado y abrumado, es un predicador itinerante con un mensaje absurdo. Pablo subraya el concepto en el versículo 30. Si se ve obligado a jactarse de sus logros y a cantar sus alabanzas a la manera de los falsos maestros, en ese caso cantará una canción muy diferente: 'Me jactaré de mi debilidad'.

La última ilustración que ofrece en el capítulo 11 agrega un toque adicional de ironía. En su lista de 'logros' agrega el ejemplo de su apresurada e ignominiosa partida de Damasco. La ciudad estaba siendo vigilada con la esperanza de capturar a Pablo, pero fue bajado por el muro en una canasta y cuando pisó el suelo se alejó de Damasco caminando lo más rápido que pudo. ¡Pablo, el gran héroe! ¿Nos habríamos jactado nosotros de esa clase de partida humillante? Por cierto que no cuadraba con las expectativas de los corintios en cuanto a los líderes del momento. Pero Pablo habrá guiñado el ojo cuando relataba el hecho y completaba su autobiografía. ¡Qué les parece esto como ejemplo de su *currículum vítae*! Pero sin duda se trataba de una ilustración de la clave para entender su vida: el poder de Dios demostrado mediante la debilidad de Pablo.

Igual que en la cultura griega del primer siglo, en la nuestra también se burlan del necio y desprecian al débil. Es preciso que aprendamos a adquirir la perspectiva adecuada a partir de esta carta del apóstol. Podríamos sentirnos tentados a pensar que Dios sólo puede usar los grandes programas o las iglesias exitosas o los predicadores locuaces. O podríamos sentir que nuestro trabajo es débil e insignificante, de modo que seguramente Dios no puede utilizarnos tanto como utiliza a otros. Pero la paradoja de la experiencia cristiana nos dice algo diferente: Dios estaba operando en la aparente debilidad de Jesús en la cruz, y en el aparente absurdo de la experiencia de Pablo. Por ello continúa, 'Me veo obligado a jactarme, aunque nada se gane con ello' (12.1).

Elevados y distantes

Otro elemento en la experiencia de los corintios en cuanto a lo que constituye un líder verdaderamente espiritual se relacionaba con experiencias profundas, místicas, ultramundanas. Los falsos maestros alimentaban la falsa ilusión de que, en común con la cultura del momento, los líderes dignos de respeto eran los que parecían desplazarse sin tocar el suelo, gente cuya vida espiritual era misteriosa y celestial, llena de visiones y de revelaciones extáticas.

Pablo sentía que 'nada se [ganaba] con ello' (12.1), y que sería totalmente insensato unirse a esa clase de jactancia. Pero quería mencionar algunos principios importantes para los corintios, quienes corrían peligro de ser arrastrados por los dramáticos relatos de exaltación espiritual, como si estos fueran los elementos esenciales de la vida y el liderazgo cristiano. La renuncia de Pablo a relatar su propia historia se deja ver más todavía por el estilo en el que escribía. 'Conozco a un seguidor de Cristo,' dice (12.2), no queriendo hacerse demasiado evidente. Es importante que mantengamos esa modestia en nuestro mundo actual, que comparte con la cultura griega del primer siglo una inclinación a la maravilla, incluso una crédula superstición cuando se trata de relatos sobre visiones extraordinarias.

Primero, la experiencia de Pablo era tan sobrecogedora que se sentía incapaz de describirla adecuadamente. No encontraba el vocabulario adecuado y no podía ubicar fácilmente la experiencia dentro del marco teológico corriente. ¿Dónde ocurrió? No estaba seguro (12.2–4). ¿Fue en el cuerpo o fuera del cuerpo? No lo sabía (12.2–3). ¿Qué mensajes espirituales recibió? No sabía decirlo (12.4). A pesar de todas las incertidumbres y limitaciones, podemos estar seguros de que se trataba de un momento profundo, hondamente grabado en su memoria. Fue 'llevado' al paraíso. Jamás deberíamos ser cínicos en cuanto a la posibilidad de semejante experiencia, porque Dios tiene sus propósitos en la vida de los que son llamados a actuar en áreas de ministerio con características únicas. Si bien no se nos dice por qué Pablo tuvo semejante experiencia, por cierto que fue muy real: 'Dios lo sabe,' repite Pablo (12.2, 3).

Jactarse de visiones espirituales extraordinarias le parecía algo absurdo.

Sin embargo, deberíamos tomar nota de un segundo rasgo de la experiencia: fue sumamente inusual. Pablo no consideraba que experiencias semejantes formaran parte de la vida cristiana normal. Había ocurrido catorce años antes (12.2), y presumiblemente Pablo no tenía otros ejemplos recientes que pudiera relatar. De manera que si bien no deberíamos descartar la posibilidad de una experiencia semejante, tampoco deberíamos usar este pasaje para sostener que debería ser un acontecimiento habitual, como tampoco suponer que le deba acontecer a algún otro cristiano.

En tercer lugar, Pablo subraya una vez más su reticencia a hablar de esta experiencia (12.5). No sé si nosotros hubiéramos sido tan reticentes. En estos tiempos quizás nos sintamos tentados a buscar un editor, a aparecer en las revistas cristianas, a preparar un DVD, o a iniciar una gira. Pero Pablo es reacio: 'De tal hombre podría hacer alarde; pero de mí no haré alarde sino de mis debilidades' (12.5). Jactarse de visiones espirituales extraordinarias como base para su llamado le parecía algo absurdo. Su preocupación era la de que fuese juzgado no sobre la base de experiencias extáticas, sino sobre la base de sus palabras y sus acciones. Esto también es un ejemplo de la integridad fundamental de Pablo. 'No lo hago [jactarse], para que nadie suponga que soy más de lo que aparento o de lo que digo' (12.6).

Pablo veía un gran peligro en semejante experiencia espiritual, el peligro de que el pecado del orgullo ingresara en su vida debido a esas 'sublimes revelaciones'. Se esmera en señalar que, 'Para evitar que me volviera presumido por estas sublimes revelaciones, una espina me fue clavada en el cuerpo, es decir, un mensajero de Satanás, para que me atormentara' (12.7).

Un agudo dolor

Se ha especulado mucho acerca de lo que podría haber sido esta espina. Literalmente la palabra significa 'astilla' o 'estaca'. Transmite la idea de un dolor atormentador (semejante al de ser empalado sobre una estaca). No se trata simplemente de una irritación persistente. Algunos escritores piensan que era una debilidad física de algún tipo, tal vez malaria, epilepsia, migraña, un impedimento del habla, o una presencia física sin atractivo. Otros creen que era la oposición, o las tentaciones espirituales, o la vergüenza de ser perseguido por los judíos. Tal vez lo más acertado sea algún tipo de mal de los ojos, por varios indicios que proporciona la carta a los gálatas.[2] Pero no podemos llegar a una conclusión, y es bueno que no podamos. Si él la hubiese indicado, los que no tenemos esa debilidad en particular quizás no hubiéramos captado la fuerza de su enseñanza. Tal vez una tarea que Dios nos ha dado para llevar a cabo, y que nos resulta profundamente incómoda, incluso penosa; tal vez sea una relación que tenemos que enfrentar, o la presión física o mental en nuestro servicio cristiano, o una debilidad que vemos dentro de nosotros mismos y que el diablo explota.

En tales circunstancias con frecuencia nos preguntamos acerca de la fuente de esa aflicción. ¿Es casual, o es el destino? ¿Es satánico, o es enteramente neutral, parte de lo que significa ser humano? Pablo escribe, 'una espina me fue clavada en el cuerpo, es decir, un mensajero de Satanás, para que me atormentara' (12.7). Está claro por el Nuevo Testamento que Pablo experimentó resistencia satánica en su ministerio. Hemos visto en 2 Corintios 4 que el dios de este mundo trabaja activamente, cegando la mente de los incrédulos. Ahora Pablo afirma aquí que la espina en su cuerpo forma parte de los acosos o las bofetadas de Satanás. Pero el contexto también nos muestra que aquello no estaba fuera de control. Como Job, esta situación seguía estando sujeta a la mirada y el cuidado del Señor.

Es importante que tengamos la certeza de que nada queda fuera del alcance de la soberanía y el control de Dios, ni siquiera Satanás. Está claro que Satanás está limitado en su poder. Sólo puede actuar dentro de los parámetros que Dios ha establecido. Él puede incluso redimir lo peor de las actividades de Satanás para cumplir sus propios propósitos. En el relato de Job es el Señor quien traza los límites. "'Muy bien,' dijo el Señor a Satanás, 'Job está en tus manos. Eso sí, respeta su vida.' Dicho esto, Satanás se retiró de la presencia del Señor para afligir a Job con dolorosas llagas desde la planta del pie hasta la coronilla" (Job 2.6–7).

Hasta la obra de Satanás, testifica Pablo, está sometida de tal manera que contribuye a lograr los buenos propósitos de Dios. Encontré una ilustración muy útil en el escrito de un pastor y teólogo alemán, Helmut Thielicke, quien predicó en Alemania sobre el Padre Nuestro, durante la segunda guerra mundial, mientras caían bombas sobre su ciudad.

> Todo lo que el poder de Dios permite que tengan las fuerzas de la oscuridad tienen que pasar en revista primero delante de él. Es como si Dios interceptara esos originalmente terribles misiles del destino, los tomara en sus brazos paternales, y los enviara en la dirección que él quiere que vayan para el beneficio de sus hijos. Podemos aceptar confiadamente hasta los golpes más duros cuando sabemos que su buena mano está operando en nuestra vida.[3]

Hemos de vivir como fieles hijos del Padre, quien es el Soberano Señor. El propósito de Dios no es eludir las dificultades, sino transformarlas. En el caso de Pablo, queda claro por qué le fue permitido al mensajero de Satanás que atacara: 'Con el fin de impedir que me volviera absurdamente consentido,' como lo expresa la traducción de J. B. Phillips. Es posible que la soberbia sea el mayor impedimento en nuestro servicio cristiano. El orgullo procura apropiarse de la gloria que correctamente le pertenece a Dios. La ambición personal, el amor al prestigio y la popularidad... no es extraño que Dios también permita una espina en nuestra vida, para mantenernos humildes y a la vez fructíferos en su servicio.

El propósito de Dios no es eludir las dificultades, sino transformarlas.

Cuando yo tenía doce años de edad contraje la polio, lo cual me dejó parcialmente incapacitado. Es una aflicción muy pequeña, tal que actualmente apenas la tomo en cuenta. Pero reconozco lo importante que ha sido esta dificultad para impulsarme a depender de Dios y también a depender de otros. Hay cosas que aprenderemos sobre nosotros mismos y sobre el Señor que jamás aprenderíamos de otro modo. Esas circunstancias desarrollan nuestra musculatura espiritual e insertan vértebras en nuestra columna vertebral. Y como lo dice Pablo en 2 Corintios 1, además nos preparan para apoyar a otros en la familia cristiana, que también están sometidos a presión. De modo que no deberíamos perder la oportunidad. El propósito de estos desafíos es que aprendamos la lección del texto lema de Pablo, '[el] poder se perfecciona en la debilidad'.

'Tres veces le rogué al Señor que me la quitara' (12.8). Si la debilidad no tuviera ningún otro propósito salvo el de volvernos hacia Dios en oración, ha cumplido una función valiosa. Tal vez no esté de moda admitirla en nuestra cultura, y es probable que tampoco haya sido apreciada por los 'superapóstoles' en Corinto. Se supone que debemos sentirnos seguros, tener confianza en nosotros mismos, ser independientes. Somos muchos los que nos identificamos con la situación de Pablo. Hay algo instalado en nuestra vida que provoca que 'nuestro resuelto andar se convierte en una renguera'. Hasta en medio de nuestros genuinos intentos de servir a Dios, nos encogemos ante el dolor. Es entonces cuando apelamos a Dios para que nos ayude. Pablo no sucumbió a una resignación pasiva. No arrojó la toalla. En su lugar, dice en el versículo 8, 'Tres veces le rogué al Señor que me la quitara'. ¿Qué respuesta recibió? "Pero él me dijo: 'Te basta con mi gracia, pues mi poder se perfecciona en la debilidad'" (12.9).

En tales circunstancias repetidamente nos volvemos hacia Dios, porque él es el único que puede ayudar. Nos damos cuenta de que la debilidad es el lugar donde dejamos de ser autosuficientes, y en cambio nos volvemos al Dios de la resurrección. Entonces vemos el cuadro más grande, el propósito por detrás del dolor. 'Sucedió para que no confiáramos en nosotros mismos sino en Dios, que resucita a los muertos' (1.9). Así es, a menudo, la manera en que el Señor en su gracia nos ayuda con la tentación del orgullo. Cualesquiera sean las circunstancias, el orgullo nunca está muy lejos. Escribiendo sobre el ministerio pastoral en la iglesia, Michael Ramsay dijo, 'Si te va bien, puedes estar contento contigo mismo, y la humildad está en peligro. Si te va mal, puedes preocuparte por ti mismo, y tu humildad está en peligro. Si la gente te trata bien y te dice qué buen clérigo eres, la humildad está en peligro. Si la gente te trata mal, tienes un motivo de queja y la humildad está en peligro.'[4]

Todos enfrentamos la tentación del orgullo; ninguno de nosotros debería sorprenderse por la solución que tiene Dios.

Abajo es arriba

La historia personal de Pablo indica que, por la gracia de Dios, el mal nunca tiene la última palabra. Su aflicción confrontaba a su orgullo y lo impulsaba hacia una humilde dependencia. "Él me dijo: 'Te basta con mi gracia, pues mi poder se perfecciona en la debilidad'" (12.9). Fue una respuesta inesperada a su oración que se convirtió en la inspiración de su vida. Ahora la gracia plenamente suficiente de Dios inundaba su vida, no a pesar de la espina, sino debido a ella. Ahora experimentaba el poder de Cristo de un modo que nunca se habría conocido si no transitaba esta senda. Ahora les podía decir a los corintios que el fundamento de su apostolado no era la pretenciosa jactancia de su herencia judía o su experiencia espiritual de éxtasis, sino el corazón mismo del evangelio.

En todo servicio cristiano el ejemplo de Jesús se proyecta ante nosotros. Hizo a un lado sus derechos y privilegios. Tomó un cuenco para lavar los pies de sus seguidores. Se sometió a las burlas y a la crueldad de oficiales inferiores. Experimentó el dolor de los clavos romanos. Podemos recorrer los registros de los Evangelios y no encontraremos una sola insinuación de orgullo. Sirvió a su Padre con obediencia y a sus discípulos con humildad. Como aquellos que procuran seguir al Maestro, el orgullo no debe tener lugar alguno en nosotros. Sabemos que dependemos totalmente de la gracia de Dios y del poder de Cristo. La espina de Pablo es un recordatorio de que el liderazgo cristiano es un llamado a la humildad y que, en su gracia, el Señor encontrará la forma de que ella ocupe el principal lugar en nuestra mente mientras le servimos.

Ahora, tu turno...
No abuses del poder

- ¿Qué aspectos del liderazgo se te podrían 'subir a la cabeza', y cómo podrías manejarlos con integridad?

- ¿De qué maneras son tentados los líderes cristianos a alimentar su ego, a aumentar su reputación o a trepar escalones? ¿Cómo puedes reaccionar ante estas tentaciones con más rigor?

- ¿Cuáles son los aspectos positivos de la ambición que deben ser alentados en el servicio cristiano?

- A lo mejor no alardeas en tu jactancia, pero ¿cuáles son las formas sutiles en que publicitas tus dones, tu experiencia o tu conocimiento?

- El aceptar una espina en el cuerpo podría conducir a la pasividad o incluso a la parálisis. ¿Cómo te alienta el testimonio de Pablo a perseverar firmemente en tu servicio cristiano, en medio de la debilidad?

LA INTEGRIDAD
ES UN MODO DE VIDA

13 Vivir con contentamiento

La Unión Europea estima que la ansiedad es responsable de la pérdida de más horas laborales que todas las enfermedades infecciosas juntas. La ansiedad es el resultado de muchos factores: podría ser 'el estrés de la modernidad', que nace de nuestra sensación de tener la obligación de lograr más y más en menos tiempo; o la incesante ambición del materialismo, con nuestro apetito consumista que anhela poseer más, disfrutar más y relajarnos más; o podría ser el inevitable impacto del quiebre de las relaciones, la fractura de los matrimonios y las comunidades en todo el continente, cosas de las que pocos nos libramos. Raramente se logra vivir una vida de contentamiento sosegado, cualesquiera sean nuestras circunstancias.

La situación no siempre es mejor en el servicio cristiano. Si bien podríamos suponer que estamos lejos de esa aturdida sensación de desasosiego de nuestra cultura, en realidad la sensación de contentamiento, y el espíritu de quietud y fortaleza con frecuencia parecen evadirnos. Nos preocupa el control de la agenda de 'distribución del tiempo', o de cómo recuperar el 'tiempo perdido'; vivimos sometidos a la agobiante presión de lo inmediato. Somos conscientes de que en el ministerio cristiano vivimos con la presión de la constante oportunidad, con mucho más que hacer de lo que podemos manejar. Con frecuencia nos llevamos el trabajo a casa, y ahora vivimos en una era de lo que un investigador de Microsoft llamó 'una continua atención parcial'. Esto quiere decir que cuando estamos contestando el correo electrónico y a la vez hablando con nuestro hijo, suena el teléfono móvil e iniciamos otra conversación. Ahora estamos comprometidos en un continuo fluir de interacciones en las que solo podemos concentrarnos parcialmente. La mala noticia es que ya nunca estamos 'afuera'. Se considera que siempre estamos 'allí', siempre accesibles.

Se considera que siempre estamos 'allí', siempre accesibles.

En el servicio cristiano también sentimos que siempre estamos cumpliendo con la constante inversión de tiempo y emoción, y el desafío de múltiples ocupaciones en nuestro trabajo, nuestra iglesia y nuestra familia. Hay muchos momentos en los que nuestra paciencia se estira hasta el límite y nuestros recursos personales parecen completamente inadecuados. Las expectativas o demandas de otras personas hacen impacto en nuestras motivaciones. Tanto el aplauso como las críticas pueden desequilibrarnos, y las presiones de nuestro trabajo nos empujan a un comportamiento menos que decoroso. La enumeración de los sufrimientos de Pablo ubica a los nuestros en la debida perspectiva, porque pocos de nosotros enfrentamos la variedad y la intensidad de las dificultades que encontró él. Sin embargo, sabemos cuánto pueden nuestras circunstancias y nuestras reacciones emocionales afectar, no solo nuestro sentido de bienestar sino la manera en que llevamos a cabo nuestro servicio cristiano.

Si bien es posible que no siempre tengamos conciencia de ello, la forma en que respondemos a las presiones también afecta a otros. En 2 Corintios 6, Pablo demuestra cómo respondió en una serie de situaciones exigentes, aunque primero nos alerta sobre el impacto potencial que tienen nuestras actitudes y comportamientos sobre quienes nos rodean.

¿Barreras o puentes en las carreteras?

En los versículos 3 y 4 vemos dos opciones. 'Por nuestra parte, a nadie damos motivo alguno de tropiezo, para que no se desacredite nuestro servicio. Más bien, en todo y con mucha paciencia nos acreditamos como servidores de Dios' (6.3–4).

Pablo está describiendo dos posibilidades. O estamos colocando barreras, por lo cual el evangelio es desacreditado, o construimos puentes, por lo cual el evangelio es recomendado. Explica la forma en que, en una amplia variedad de circunstancias, ha procurado llevar a cabo su ministerio apostólico. Está profundamente preocupado porque su ministerio no se 'desacredite' (6.3), palabra que transmite la idea de burla y ridículo. Como hemos visto a lo largo de 2 Corintios, Pablo estaba defendiendo su ministerio al enfrentar las diversas críticas: que no se destacaba en absoluto como apóstol, que era demasiado simple y directo como predicador. Ha respondido declarando que no es un vendedor, un mercachifle del mensaje de Dios; no le interesa la imagen o la actuación. En cambio, 'mediante la clara exposición de la verdad, nos recomendamos a toda conciencia humana en la presencia de Dios' (4.2).

Pablo está decidido a no poner obstáculo alguno en la senda de nadie. No debería haber nada en su vida o la nuestra que fuese 'tropiezo' para otros, impidiéndoles alcanzar la fe en el evangelio o progresar en su discipulado. Sería preocupante si alguien no llegara a hacerse cristiano, no debido a la ofensa de la cruz, sino debido a nuestro comportamiento indecoroso.

Cuando yo tenía diez años, estaba participando en una pequeña iglesia en el norte de Londres. Un día experimenté el impacto de descubrir pecado en la comunidad cristiana. El tesorero había malversado fondos durante varios años. En una iglesia pequeña el impacto fue considerable, especialmente en cristianos jóvenes como lo era yo. Un prominente líder cristiano había engañado a la gente; alguien a quien habíamos considerado inmune a las fallas había actuado inconsecuentemente.

En muchas iglesias semejante fracaso puede paralizar a la comunidad cristiana y puede inhibir el crecimiento. De hecho, por la gracia de Dios, en nuestra iglesia el fracaso fue encarado de manera firme y misericordiosa. Finalmente el hermano fue restaurado, y con gran humildad sirvió en la iglesia en tareas corrientes durante muchos años. Llegué a respetarlo grandemente. Pero aprendí algunas lecciones importantes como creyente joven: que debemos orar por los líderes, todos los cuales son vulnerables; que los que afirman seguir a Cristo deben vivir la vida de Cristo; y que Dios puede redimir el fracaso.

Pablo refuerza el hecho de que su mensaje y su ministerio estaban ligados a una vida consagrada que hacía verosímil y creíble el evangelio. De modo que ahora Pablo no se refiere al descrédito del evangelio, sino a la 'recomendación' de su ministerio (6.4). Muestra cómo su vida cuadraba con su profesión en una gama de situaciones difíciles, que ahora enumera en uno de los varios catálogos que aparecen en su carta. Si sus críticos quieren saber qué es lo que realmente respalda a un apóstol, o a cualquier siervo de Cristo, ahora les explica. No recibiría muchas señales de aprobación de parte de los 'superapóstoles' en Corinto por esta lista en particular, pero Pablo quería subrayar que esto es lo que significa seguir al Rey Siervo, el Mesías crucificado. Y nos muestra la importancia de vivir con contentamiento.

Está expresado en forma hermosa, casi como un himno en cuanto a su calidad. Pero es una lista llena de paradoja; como lo expresa Tom Wright, son notas musicales que se entrechocan y reclaman resolución. En ese sentido es semejante a lo que escribe Pablo en 2 Corintios 4, donde se yuxtaponen la debilidad y la fortaleza, la vida y la muerte. Hay por lo menos tres cualidades a tomar en cuenta.

Paciente resistencia

Comienza con lo que un escritor antiguo llamaba un 'torbellino de problemas'. Enumera tres grupos de tres pruebas que debió enfrentar, cada una 'con mucha paciencia' (6.4), y su propósito es demostrar la genuina integridad de su ministerio. Las tres primeras presiones se describen en términos generales: 'sufrimientos, privaciones y angustias' (6.4). Luego describe tres presiones específicas infligidas por otros: 'azotes, cárceles y tumultos' (6.5). Finalmente, enumera tres que fueron autoimpuestas: 'trabajos pesados, desvelos y hambre' (6.5). De estas maneras, sorprendentemente, 'acredita' su ministerio (6.4). Deliberadamente incluye las palabras 'en todo': no hay excepción. Todo en su vida y ministerio se caracteriza por la integridad.

Hay momentos cuando quisiéramos tirar la toalla, cuando parece mejor mudarnos a otra iglesia.

En el capítulo 12 vimos que Pablo no quería ser culpable de la jactancia que caracterizaba a sus opositores en Corinto, con su orgullo por la apariencia física y los logros heroicos. Por lo que se refería a Pablo, si tenía que jactarse se jactaría acerca de su debilidad (11.30). Aquí indica que la mejor manera de juzgar la solidez de su ministerio era observar la forma en que él respondía a las presiones de todo tipo. Cualesquiera fuesen las circunstancias, y por extremas que fuesen las presiones, procuraba mantenerse firme en su paciente resistencia. Esta era la forma de acreditar el ministerio cristiano. Deberíamos orar a menudo por el don de la perseverancia, porque vienen momentos cuando quisiéramos tirar la toalla, cuando parecería mejor mudarse a otra iglesia, cambiar de trabajo, o abandonar el proyecto. Un elemento importante para vivir con contentamiento es la capacidad para entender el llamado de Dios y luego perdurar pacientemente.

Ser completamente consecuente

El siguiente conjunto de expresiones (6.6–7) describe las cualidades con las que procuraba llevar a cabo su trabajo. Cada una de ellas es el resultado del ministerio del Espíritu Santo, porque es quien produce la cosecha de cualidades que Pablo enumera. Ponen en evidencia que aquí tenemos un hombre cuyo ministerio es consecuente. No hay discurso comercial, no hay propaganda, no hay manipulación alguna, sino una vida consecuente y un mensaje claro, 'con palabras de verdad y con el poder de Dios' (6.7). Notemos el énfasis en su carácter moral intachable, en las relaciones correctas: 'con pureza, conocimiento, constancia y bondad' (6.6).

Estas son las cosas que autentican nuestro ministerio. Por elocuente que sea mi predicación, por impresionante que sea mi imponente presencia como líder, sin estas cualidades no soy un auténtico siervo del evangelio. Como J.B. Phillips parafrasea el versículo 7, 'nuestra única defensa es una vida de integridad.'

A veces nos resulta extremadamente difícil aceptar las críticas.

El tipo de modelo que ofrecemos es importante cualquiera sea la clase de trabajo al que Dios nos llama. En una oportunidad una de mis parientes trabajó todos los sábados en la cocina de un instituto teológico, para reunir dinero para sus gastos. Con cierta frecuencia comentaba lo groseros o descorteses que eran algunos de los estudiantes para con ella y las otras señoritas que servían la comida o limpiaban las mesas. ¡Incluso amenazó con mandar una carta a las iglesias donde esperaban servir los candidatos del instituto, dándoles referencias no solicitadas con respecto a su comportamiento! Es verdad que, por una parte, no era algo demasiado importante; todos podemos sentirnos un poco quejosos a la hora del desayuno. Por otra parte, me encontré ayudando a una cristiana más joven a comprender el comportamiento poco santo de aquellos que se estaban preparando para servir a la iglesia.

Elijo este ejemplo deliberadamente. Con frecuencia es en estas situaciones corrientes donde se hace más visible la calidad y la integridad de nuestra vida. La mayoría de nosotros no tendrá que enfrentar las presiones que Pablo enumera en su catálogo aquí en 2 Corintios, pero todos sabemos cuáles son las situaciones que en nuestra vida hacen que sea difícil vivir como lo requiere el evangelio. La mayoría de nosotros tenemos que estar alerta a los peligros de las reacciones descontroladas cuando estamos particularmente cansados. A algunos nos resulta extremadamente difícil aceptar las críticas, y somos cortantes en nuestras reacciones defensivas. Algunos necesitamos palabras de aprobación para mantener el ritmo, y nos resulta difícil seguir andando cuando no hay reacción favorable o apoyo. Otros luchamos por ser pacientes cuando tenemos tendencias perfeccionistas, y nuestros colegas no satisfacen los parámetros que esperamos.

Examinaremos más detalladamente el tema del ser consecuentes en el próximo capítulo, pero deberíamos observar que, dado que lo que Pablo describe aquí es un contexto de extrema presión, es tanto más notable que 'acredite' de este modo su ministerio, y por consiguiente el evangelio mismo. Cada una de las cualidades que Pablo enumera es digna de ser considerada en espíritu de oración. ¿Cómo expresamos la *pureza* en las relaciones con otros, en los pensamientos y en el comportamiento sexual, en el manejo del dinero? ¿Se nos conoce tanto por nuestra *paciencia* como por nuestra *bondad*? ¿Y es *sincero* nuestro amor, y sin hipocresía (6.6)? ¿Cumplimos nuestro compromiso de hablar con *palabras de verdad*, cualesquiera sean las circunstancias? Es decir, ¿se ajustan nuestra vida y nuestros ministerios a las prioridades del evangelio?

En caso de que nos sintiésemos abrumados por semejante nivel, es preciso que notemos nuevamente que la lista incluye al *Espíritu Santo* y al *poder de Dios*. Todas las cualidades aquí enumeradas nos son dadas por Dios. Esto resulta significativo en relación con la cuestión del sufrimiento, como vimos por el testimonio de Pablo en 2 Corintios 12. Es decir, el sufrimiento en sí mismo no tiene ningún mérito. No nos regocijamos en los sufrimientos por amor a sí mismos, sino porque las presiones (como las que Pablo ha enumerado en el capítulo 6), son una oportunidad para experimentar el poder de Dios. En ese sentido no es de sorprender que Pablo pueda registrar estas cualidades como características de su ministerio en medio de todos sus problemas. Son ellas el resultado de la presencia y energía del Espíritu Santo.

No deberíamos pasar esto por alto, por dos razones. Primero, nos ayuda a ver que no estamos llamados a recomendarnos a nosotros mismos. Sabemos lo que piensa Pablo de eso por sus comentarios en 2 Corintios 10, que analizamos antes. Él se niega a recomendarse a sí mismo, y objeta ese comportamiento por parte de los falsos apóstoles. Más bien, al vivir de este modo, capacitados por el Espíritu, damos realce al evangelio mismo. Reflejamos la vida del Jesús que murió y resucitó.

Segundo, fácilmente podríamos colapsar en nuestro trabajo si concluyéramos que esas cualidades (la pureza, la paciencia, la bondad, el amor genuino) se deben sencillamente a nuestra autodisciplina. Por cierto que hace falta una firme determinación. En Gálatas 5 Pablo es bien claro: adoptamos una actitud resuelta y debemos '[crucificar] la naturaleza pecaminosa, con sus pasiones y deseos'. Pero esto se complementa con el llamado a '[vivir] por el Espíritu' y a '[andar] guiados por el Espíritu' (Gálatas 5.16–26). Cuando vivimos permanentemente conscientes de la presencia y de la obra del Espíritu en nosotros, así también se verá nuestra vida cotidiana cada vez más caracterizada por ese racimo de cualidades: el fruto del Espíritu.

Humilde contentamiento

Recientemente asistí a una jornada para pastores y predicadores laicos en la que estudiamos juntos el tema del ministerio cristiano. Allí conocí a un grupo de hombres que propusieron la idea de que, para que un líder cristiano tenga alguna credibilidad, era imprescindible que tuviera algún grado de éxito visible. No aceptaban todo lo que la llamada teología de la prosperidad proclamaba, pero sí sugerían que el vestirse bien y poseer un automóvil adecuado y un título apropiado eran elementos necesarios de un estilo de liderazgo que se ganara al auditorio. Por cierto, no quisiera hablar en contra de un comportamiento social apropiado, y no tiene sentido ofender innecesariamente. ¿Pero qué hemos de decir en cuanto a aquella sugerencia?

El núcleo final de cualidades paulinas nos ofrece algunas indicaciones valiosas. Una vez más, ilustran las presiones y la agitación que caracterizaron su ministerio.

> Por honra y por deshonra, por mala y por buena fama; veraces, pero tenidos por engañadores; conocidos, pero tenidos por desconocidos; como moribundos, pero aún con vida; golpeados, pero no muertos; aparentemente tristes, pero siempre alegres; pobres en apariencia, pero enriqueciendo a muchos; como si no tuviéramos nada, pero poseyéndolo todo.
>
> 2 Corintios 6.8–10

Si la gente lo alababa o se burlaba de él, si lo aceptaba o lo rechazaba, cualesquiera fuesen las circunstancias de su vida Pablo había adquirido la perspectiva de Dios. Su sistema de valores estaba modelado por los valores del reino de Dios, no por los valores de este mundo. Todo era cuestión de perspectiva.

Es muy fácil que nuestras circunstancias o las expectativas de otros alrededor de nosotros controlen nuestra vida. Si somos honestos, habremos de admitir que con frecuencia nuestra autoestima está ligada a nuestro rango de popularidad, o a nuestro estatus, o a nuestros ingresos. Por seguros que podamos sentirnos, cuando algunas de estas cosas son eliminadas de nuestra vida podemos ver cuánto de nuestra identidad está ligado a ellas. Es por eso que, para muchas personas de nuestra generación, la pérdida del trabajo o de la posición puede resultar tan devastadora. Leí recientemente acerca de un empresario desesperado que dijo: 'Durante treinta años estuve trepando una escalera, sólo para descubrir que está arrimada a la pared equivocada.' Pero Pablo afirma en los versículos 8–9 que, aun si lo calumnian, o cuando es el blanco de una campaña de desprestigio, o cuando es ignorado como un desconocido, o considerado un impostor, o cuando no tiene posesión alguna a su nombre, procura vivir con humilde contentamiento.

En un mundo que piensa muy distinto, podemos sentirnos tentados a comprometer nuestra fe o a diluir nuestro testimonio cristiano. Los líderes cristianos pueden fácilmente sucumbir ante las presiones del mundo. Es preciso que demos poca importancia a las cosas de este mundo, porque si nos preocupa nuestra propia reputación u honor, la comodidad y la seguridad material, entonces es poco probable que vivamos una vida digna del evangelio. Nuestro ministerio se 'desacreditará' y, en lugar de alentar a otros, estaremos colocando una barrera en su senda. Los verdaderos siervos de Dios, llenos de su Espíritu, procurarán vivir de manera consecuente con el evangelio que proclaman. Esta era una declaración radical en el mundo griego del tiempo de Pablo, y ha de ser igualmente radical en la actualidad. Si juzgamos a los cristianos por los criterios superficiales de nuestro mundo (títulos, ropa, cuenta bancaria) hemos pasado por alto lo que realmente cuenta. Es probable que nuestro llamado a servir a Cristo sea muy diferente. Nos puede costar la comodidad, la seguridad, o la salud, e incluso quizás la familia o la vida misma. No medimos la efectividad de los líderes por lo índices del éxito terrenal, sino por su conformidad con el camino de la cruz.

¿Recuerdas el testimonio de Pablo en Filipenses 4.11–13? Expresa el mismo sentido de equilibrado contentamiento, ya sea en la pobreza como en la riqueza. Había 'aprendido a estar satisfecho', y fue así porque había descubierto los recursos de Dios. 'Todo lo puedo en Cristo que me fortalece.' El contentamiento cristiano no depende de circunstancias externas, ni siquiera de un ministerio cristiano exitoso. Surge de nuestra comunión con Cristo. Así puedo enfrentar todas las circunstancias con satisfacción, dice Pablo.

Una simple figura de la literatura sapiencial refuerza este punto. El Predicador de Eclesiastés describe, primero, la esclavitud de la inacabable competencia: 'Vi además que tanto el afán como el éxito en la vida despiertan envidias. Y también esto es absurdo; ¡es correr tras el viento!' (Eclesiastés 4.4). En el siguiente versículo describe lo opuesto: la autodestructiva ociosidad. 'El necio se cruza de brazos, y acaba muriéndose de hambre' (Eclesiastés 4.5). Pero sigue una hermosa expresión que sintetiza la verdadera sabiduría en la vida: 'Más vale poco con tranquilidad que mucho con fatiga, ¡corriendo tras el viento!' (4.6). 'Un manojo de quietud', 'un manojo con tranquilidad'. Estamos contentos con lo que tenemos y no nos afanamos por más. No somos tentados a definir nuestra identidad por lo que hacemos, o por lo que tenemos, o por lo que logramos. El nudo de la cuestión está en inclinarnos ante la voluntad de Dios, confiando en él más plenamente y reconociendo sus buenos propósitos para nuestra vida.

Los versículos que hemos considerado en 2 Corintios 6 han sido llamados la credencial apostólica de Pablo. Acreditamos nuestro ministerio y honramos a Cristo cuando procuramos, nosotros también, vivir así. La integridad como forma de vida significa vivir satisfechos cualesquiera sean nuestras circunstancias. Significa que confiamos en los recursos de Dios, que vivimos al amparo de su mirada atenta y disfrutamos su paternal cuidado.

14 Vivir de manera coherente

El escritor Dallas Willard cuenta la historia de un pastor norteamericano que se enojó mucho por algo que ocurrió en el curso de un servicio un domingo por la mañana. Apenas concluyó el servicio buscó a la persona responsable y le dio un reto despiadado. Lamentablemente todavía llevaba puesto su micrófono radial. Sus airadas palabras fueron transmitidas por todo el edificio eclesiástico, incluso en las salas destinadas a la escuela dominical y en la playa de estacionamiento. 'Poco después se trasladó a otra iglesia,' comenta secamente Willard.[1]

Parecería gracioso si no fuera por el hecho de que sabemos que somos muchos los que estamos en el ministerio cristiano y vivimos una doble moralidad. Recientemente los diarios británicos publicaron artículos y cartas sobre las cualidades morales requeridas de los obispos y los líderes de la Iglesia de Inglaterra. Un líder experimentado de la iglesia escribió: 'Si fueran rechazados [del ministerio en la iglesia] los obispos y sacerdotes actuales que en algún momento del pasado tuvieron relaciones sexuales con alguien (varón o mujer) con el o la que no estaban casados, no sobreviviría más de 2 de cada 10.' Este líder estima que el 80% de los líderes en la iglesia ocultan secretos de culpabilidad por falta de coherencia en su pasado. No estoy seguro en cuanto a la forma en que llevó a cabo su investigación;

pero sabemos que el no vivir con integridad no solamente arroja como resultado una falta de credibilidad en el liderazgo sino que, lo cual es más grave, deshonra la causa del evangelio y al Dios que nos llama a su servicio.

Me gusta esta variante de una conocida frase: 'Debemos predicar lo que practicamos'. Me doy cuenta de que reduciría drásticamente la longitud y la variedad de mis sermones, pero constituiría la médula de la integridad.

El llamado a una vida de santidad

Supongamos que estás participando en un juego de asociación de palabras. Te dan una tarjeta en la que se pide que escribas palabras que acuden a tu mente cuando oyes la palabra 'santidad'. ¿Qué anotarías? Aquí tienes una lista proporcionada por John White hace algunos años, y tal vez puedas identificarte con algunas de las asociaciones que hace él.

> Flaqueza; delgadez ojerosa; barbas; sandalias; largas túnicas; celdas de piedra; abstinencia sexual; nada de bromas; camisa de cilicio; frecuentes baños fríos; ayuno; horas de oración; inhóspitos desiertos; levantarse a las cuatro de la madrugada; uñas limpias; vitrales; autohumillación. [2]

¿Qué te parece? Suena extrañamente religioso, ¿no es así? Y lamentablemente eso es lo que ha llegado a significar esta palabra. Se la asocia con esfuerzos penosos y rigurosos, con retirarse de la vida normal, con el mundo extraño y excéntrico de una vida religiosa fanática. Esta es una de las razones por las que cada vez se habla menos el tema. No forma parte de nuestra agenda hoy en día. David Wilkinson, científico y apologista cristiano, señala que si se publicita una exposición sobre 'El punto de vista cristiano sobre el sexo' o 'La curación en el poder del Espíritu' se puede garantizar que habrá una congregación repleta y entusiasta. Una exposición sobre la santidad no recibiría una adhesión similar. La santidad no tiene buena prensa.

Cuando una editorial inglesa publicó una nueva edición de la Biblia la llamaron simplemente 'La Biblia', y un vocero dijo: "Eliminamos la palabra 'santa' para que el producto fuera más atractivo en el mercado."

La verdad es que la santidad no debería ser reservada como una palabra religiosa de limitada pertinencia para nuestra vida. La santidad le da forma a lo que somos. Debería servir para describir todo lo que somos: nuestra identidad, nuestras actitudes, nuestro comportamiento, nuestra vida corporativa como pueblo distintivo de Dios. Tiene que ver con lo cotidiano, con lo terrenal de nuestra vida diaria, y hasta debiera eliminar cualquier distinción entre lo que llamamos sagrado y lo secular. Describe lo que somos y lo que habremos de ser.

El llamado a vivir coherentemente

En 2 Corintios 6 Pablo continúa el tema de la integridad como un modo de vida. Lo encara en una diversidad de direcciones. En la sección que comienza en el versículo 14 se ocupa del tema en forma negativa: 'No formen yunta con los incrédulos'. Este es un cuadro tomado del libro de Deuteronomio. Aquí la ley prohíbe arar un campo utilizando dos animales diferentes para que trabajen juntos. Un buey y un asno obviamente arrastrarían el arado a velocidades diferentes, de modo que no tiene sentido pretender que trabajen juntos. Este era un ejemplo entre otros en la ley del Antiguo Testamento, la cual requería que el pueblo de Dios actuara de manera consecuente. No debían mezclarse los cultivos en el campo, no se debía mezclar diferentes fibras en las telas y, en cuanto a la gente, no debía haber ninguna contaminación por asociaciones impropias con sus vecinos paganos. La ley reflejaba el anhelo de Dios de que su pueblo fuese apartado, y que viviera conforme a sus normas.

Pablo anima a los corintios a vivir de este modo distintivo, indiviso, y el mandato del versículo 14 es muy claro: 'No formen yunta con los incrédulos'. Para recalcar el tema hace una serie de cinco preguntas retóricas (6.14–16). Cada pregunta demuestra que tratar de combinar valores seculares y cristianos es como tratar de mezclar aceite con agua: son totalmente incompatibles.

Luego Pablo se ocupa del tema en forma positiva. Insiste nuevamente en un tema muy conocido, valiéndose de una frase que era común para la promesa de Dios según el pacto del Antiguo Testamento: "Porque nosotros somos templo del Dios viviente. Como él ha dicho: 'Viviré con ellos y caminaré entre ellos. Yo seré su Dios, y ellos serán mi pueblo'" (6.16). Lo que plantea es esto: ¿cómo pueden pertenecer a Dios y al mismo tiempo coquetear con el mundo? Estas palabras expresan la incesante preocupación de Pablo de que los corintios resistan la tentación de adoptar los valores falsos de los nuevos maestros en la ciudad. Los creyentes coherentes no harían lugar a los 'ídolos', es lo que quiere decir en el versículo 16; rechazarían cualquier intrusión secular semejante, porque su vida y su comunidad cristiana eran la casa del Dios viviente. Nosotros somos el templo de Dios y la familia de Dios. Él vive con nosotros y nosotros le pertenecemos.

'Debemos predicar lo que practicamos'.

Pablo se arma de otras municiones del arsenal del Antiguo Testamento valiéndose del firme llamado a la santidad que proclaman los profetas: 'Salgan de en medio de ellos y apártense' (6.17). Dado que a veces estos versículos han sido mal utilizados, es importante comprender que Pablo no propone un alejamiento del mundo. En el capítulo 5 habló del llamado a ser embajadores enviados al mundo. No nos apartamos automáticamente cuando nos hacemos miembros de la familia de Dios. Lo que recibimos es la responsabilidad de vivir de una manera claramente cristiana, proclamando el evangelio de la reconciliación en medio de un mundo caído. Pero, igual que Jesús, Pablo nos exhorta a mantener la 'salinidad', a no adoptar los valores ni las ambiciones del mundo. En el contexto de Corinto parecería que le preocupaba de manera especial ocuparse del desafío del paganismo y la idolatría, como lo da a entender su pregunta final: '¿En qué concuerdan el templo de Dios y los ídolos?' (6.16).

Con frecuencia este pasaje se ha utilizado para explicar por qué los cristianos deberían evitar las asociaciones inapropiadas: no hacer yunta desigual, por ejemplo, en el matrimonio o en los negocios. Esta sería una aplicación legítima de los principios que Pablo procura explicar. Si ser cristiano significa que todos nuestros puntos de vista sobre la vida han cambiado (valores diferentes, ambiciones diferentes, pautas éticas diferentes y, lo más importante, una autoridad diferente en nuestra vida), ¿cómo podríamos compartir íntimamente nuestra vida con alguien que no pertenece a la familia de Dios? ¿Cómo podríamos 'ser uno'? O, como lo expresa Pablo en el versículo 15, '¿Qué tiene en común un creyente con un incrédulo?'. Por penoso que resulte, los cristianos estamos llamados a evitar cualquier vínculo íntimo que pudiera comprometer el carácter distintivo de nuestro llamado. Pero también deberíamos subrayar que no se trata de un llamado a practicar un tipo equivocado de separación. Hay muchos cristianos consagrados que comparten un matrimonio en el que una de las partes no es todavía creyente. En estas circunstancias Pablo alienta al cristiano a mantener el vínculo, como lo expresa en 1 Corintios 7. Pedro dice lo mismo: si tienes un cónyuge que no es creyente, no sería bueno que te separes, sino más bien que mantengas la relación. 'Así mismo, esposas, sométanse a sus esposos, de modo que si algunos de ellos no creen en la palabra, puedan ser ganados más por el comportamiento de ustedes que por sus palabras, al observar su conducta íntegra y respetuosa' (1 Pedro 3.1–2).

El llamado a un carácter cristiano distintivo

Pablo sencillamente alienta la 'salinidad' cristiana en todas las áreas de la vida. Cuando me encontraba sirviendo entre estudiantes universitarios con IFES [la Comunidad Internacional de Estudiantes Evangélicos], escuché un relato que procedía de un congreso de egresados en el Asia oriental. Un egresado cristiano fue invitado a dar su testimonio sobre la forma en que procuraba vivir bajo el señorío de Cristo en su práctica empresarial. Vivía en un país donde la coima y la corrupción eran endémicas. Él trabajaba para una compañía proveedora de electricidad, y cierto día se le aproximaron dos hombres que le ofrecieron dinero a cambio de que les garantizara un contrato. De inmediato se rehusó. Algún tiempo después volvieron, amenazando valerse de la violencia si se negaba a darles el contrato. Nuevamente, se negó. Cuando lo visitaron por tercera vez, amenazaron con herir a su esposa y sus hijos. De modo que habló con su familia y con el pastor de la iglesia, y todos concordaron en que debía mantenerse firme. Cuando volvieron, les dijo: 'He sido salvado por la sangre de Cristo. Si me pueden ofrecer más que eso, lo aceptaré.' Los hombres se sintieron tan sobrecogidos por esa respuesta que se retiraron.

Vivir de manera coherente puede resultar muy caro.

Cuando los graduados en la conferencia escucharon este relato, se encaramaron sobre sus sillas y lo aplaudieron. Se sintieron animados de que un cristiano estuviera dispuesto a plantarse y hacerse valer. Todos ellos vivían en sociedades donde vivir de manera coherente puede resultar muy caro. Y lo mismo vale para todos nosotros. Podría representar, por ejemplo, menos oportunidades profesionales, o la dificultad para contraer matrimonio, o de ganar la cantidad de dinero que ganan otros. Pero si hemos experimentado la gracia de Dios en el evangelio, si le pertenecemos, estaremos dispuestos a mantenernos firmes por su causa, preparados para ser sal en el mundo. De manera que se trata de una pregunta penosa pero necesaria. ¿Qué de nuestro carácter cristiano distintivo? No podemos sencillamente apoyar la cultura que nos rodea, sino más bien desafiarla; no debemos simplemente adoptar sus valores en forma acrítica, sino sopesarlos a la luz de normas bíblicas. ¿Hasta qué punto es nuestro liderazgo un eco de las ambiciones del mundo?

El llamado al compromiso

Cuando Pablo va completando la sección, aparece una significativa palabra de aliento. Es un llamado al compromiso radical. 'Como tenemos estas promesas, queridos hermanos, purifiquémonos de todo lo que contamina el cuerpo y el espíritu, para completar en el temor de Dios la obra de nuestra santificación' (7.1). Lo que está en juego para los corintios, y para todos los que somos miembros de la familia de Dios, no es simplemente la integridad de nuestro testimonio, sino nuestra reverencia a Dios. La forma en que nos comportamos se reflejará hacia nuestro Padre. Somos llamados a purificarnos 'en el temor de Dios' (o 'por reverencia para con Dios', como lo expresa la NIV).

En su libro *The Trivialization of God* ['La trivialización de Dios'], Donald McCullough escribe: 'Con frecuencia la reverencia y el temor reverencial han sido remplazados por un bostezo de lo conocido. El fuego consumidor ha sido domesticado hasta convertirse en la llama de una vela, que agrega un poco de atmósfera religiosa, tal vez, pero no tiene calor, es una luz que no enceguece, sin poder de purificación ... Preferimos la ilusión de una deidad más segura, de modo que hemos recortado a Dios a una proporción manejable.'[3] Nuestra perspectiva de Dios determinará nuestra manera de vivir. Los maestros del Antiguo Testamento afirman que *el temor del Señor* es el principio de la sabiduría. Si bien nos regocijamos en la intimidad de una relación con Dios, quien es nuestro Padre, *la reverencia para con Dios* (el tener conciencia de su absoluta santidad) podría significar que hay momentos cuando tendríamos que retroceder unos pasos. Isaías se sintió sobrecogido al entrar en el templo del Señor; Moisés se estremeció hasta el alma cuando se vio ante el 'Yo Soy'. Tal vez el llamado a vivir con pureza y santidad adquiriría nuevas dimensiones si supiéramos mejor lo que significaba ese piadoso temor. Aun así, esa reverencia no nos hace retroceder de temor. Esa reverencia debe verse a la luz de las maravillosas declaraciones del fiel compromiso de Dios para con nosotros: 'Viviré con ellos y caminaré entre ellos' (6.16).

Hay muchas cosas que nos apartarán de las normas de Dios, muchas cosas que 'contaminan el cuerpo y el espíritu' (7.1). De modo que, primero, se nos dice 'purifiquémonos' (7.1). Hay cosas que deben ser erradicadas, algunos elementos en nuestra vida que tienen que ser lavados hasta quedar limpios. Esto podría significar el no aceptar una relación en particular, retirarnos de una fiesta que va en la dirección equivocada, evitar el engaño al llenar un formulario impositivo, o cuidar nuestra actitud ante alguien que nos hizo daño. Puede referirse a cualquier cosa que arroja como resultado el que 'nos salgamos de la línea' en el sentido espiritual. No deberíamos permitir que nada infecte nuestra mente, nuestro corazón o nuestro cuerpo; se trata de una posición que no admite que cedamos, una posición de absoluta integridad.

La segunda exhortación está en la frase 'completar ... nuestra santificación' (7.1). La forma en que Pablo plantea su apelación supone que se trata de nuestra constante responsabilidad, día tras día.

En el Antiguo Testamento, la forma en la que vivía el pueblo de Dios constituía una declaración a las naciones vecinas sobre la clase de Dios en que creían. Su vida comunitaria, sus relaciones económicas, el cuidado de los pobres, su compromiso en relación con el culto: el carácter distintivo de la vida que llevaban era un testimonio de que pertenecían a Dios. Nuestro desafío es el mismo. En nuestra cultura la mayoría de las personas están hartas de palabras, son cínicas con respecto a los que están en autoridad, como también en cuanto a las promesas que hacen, de modo que un carácter cristiano distintivo resulta esencial para un testimonio auténtico.

Recuerdo una frase escrita en el baño de un albergue estudiantil. Encima de un secador de manos eléctrico estaban las palabras 'Presione este botón para escuchar un mensaje del Primer Ministro'. Es un ejemplo bastante gráfico sobre la forma en que la gente joven se ha vuelto cada vez más cínica acerca de la utilidad de la política: para ellos, es puro aire. Quizás sienten lo mismo con respecto a los líderes cristianos...

El testimonio cristiano tiene que combinar las cualidades que expresó Pablo en 1 Tesalonicenses 1.5: 'Nuestro evangelio les llegó no sólo con palabras sino también con poder, es decir, con el Espíritu Santo y con profunda convicción. Como bien saben, estuvimos entre ustedes buscando su bien.' La descripción que hace Pablo de la tarea de evangelización no estaba restringida a transmitir información. Él agrega tres expresiones adicionales: proclamación con el poder de Dios, con plena convicción, y con el poder del Espíritu Santo que capacita al predicador y convencía al oyente de su validez del mensaje. Pero hay otra frase que está íntimamente relacionada con el resto del versículo. Nuestro evangelio les llegó con poder, y ustedes bien saben que 'estuvimos entre ustedes buscando su bien', expresa el apóstol. Fue esta combinación lo que hizo que la comunicación del evangelio fuera tan efectiva. La Palabra de Dios, proclamada en el poder del Espíritu y demostrada por (encarnada en) el mensajero. Se trata de la verdad que produce santidad, como le dijo Pablo a Tito. O, como lo expresó el teólogo neotestamentario Tony Thistleton, 'La pureza de vida constituye parte de la gramática de la verdad.'

La vida del profeta es parte de su mensaje.

Esta es exactamente la preocupación de Jeremías cuando recomienda a los profetas de su tiempo a ser consecuentes entre lo que hablan y lo que viven. No solamente se había producido un deplorable deterioro teológico, sino que también había un fracaso moral profundamente arraigado entre los profetas. En lugar de guiar al pueblo para que se alejara del pecado, en realidad los profetas alentaban a la gente en esa actividad. 'Viven en la mentira,' dijo Jeremías. Un verdadero profeta será aquel cuya vida es una encarnación de la verdad. La vida del profeta es parte de su mensaje. En su útil introducción a la historia de Jeremías, el escritor y predicador David Day lo expresa de esta manera: 'No es como un cartero, que puede hacer lo que quiera en privado con tal de que siga repartiendo las cartas.'[4] El ministerio cristiano efectivo, el auténtico ministerio cristiano, se da cuando la Palabra, el Espíritu y la vida se combinan en una demostración genuina y consecuente del carácter y los propósitos de Dios.

Los recursos que necesitamos

Sospecho que sé lo que estás pensando al leer este capítulo, porque a mí también me inquieta. La enseñanza de Pablo parecería imposible de alcanzar. No es realista. Gracias, pero no es para mí; no podría hacerlo. Por eso es importante que tomemos en cuenta algo muy significativo: este enérgico llamado a vivir en santidad está rodeado de fuertes expresiones relativas a la presencia de Dios. Como vimos, Pablo emplea varios pasajes del Antiguo Testamento para destacar el hecho de que pertenecemos a Dios y que somos redimidos, amados y preparados por él.

- Como Israel, hemos sido sacados del exilio, del pecado y la muerte, y ahora pertenecemos a una familia nueva.
- Constituimos la morada de Dios, su casa; esto se subraya con la expresión 'Viviré con ellos y caminaré entre ellos' (6.16).
- Pertenecemos a un Dios que dice, 'Yo seré un padre para ustedes, y ustedes serán mis hijos y mis hijas' (6.18).
- Somos capacitados por el Espíritu Santo, quien nos da poder para vivir como corresponde (6.6).

Por lo tanto el llamado a vivir nuestra vida en conformidad con las normas de Dios es un llamado que va acompañado por firmes promesas sobre su presencia habilitadora y su misericordioso cuidado. Como ya hemos visto, Jesús es el 'Sí, el Amén' para todas las promesas de Dios que Pablo ha enumerado aquí. Como lo expresa Pedro en su segunda carta, estas son grandes y preciosas promesas: 'Así Dios nos ha entregado sus preciosas y magníficas promesas para que ustedes, luego de escapar de la corrupción que hay en el mundo debido a los malos deseos, lleguen a tener parte en la naturaleza divina' (2 Pedro 1.4).

La enseñanza de Pablo pudo haber tenido por objeto ocuparse del deterioro del compromiso cristiano en la iglesia de Corinto en el primer siglo, pero su enseñanza en estos versículos es indiscutiblemente pertinente para los creyentes cristianos hoy. Enfrentamos la constante tentación de ceder a los valores de este mundo. Su seductora atracción se presenta con muchas vestiduras, y ya sea en la esfera de las relaciones, de los negocios, de la sexualidad, el materialismo, la ambición o el estilo de vida, estamos constantemente sometidos a la presión de adaptarnos. Pero como el santo templo de Dios, como hijos de Dios, como quienes hemos recibido el poder del Espíritu de Dios, deberíamos vivir de una manera que refleje el carácter y la integridad del Señor que nos llamó a seguirlo. En un mundo cínico, esa es la clase de cristianismo que la gente necesita ver.

'La integridad es lo que importa si uno quiere conocer a Dios íntimamente.'

La cristiana danesa Karen Blixen se hizo muy conocida por su libro *Out of Africa* [Hay trad. al cast.: Memorias de África o África mía]. Relata sobre su trabajo en una plantación de café en Kenia y sobre un joven sirviente llamado Kitau. Un día él le preguntó si podía escribirle una carta de recomendación, porque quería irse a trabajar para el jeque Alí, en Mombasa. Ella respondió que prefería aumentarle el sueldo antes que perderlo, pero él le contestó que estaba en el proceso de decidir si sería cristiano o musulmán. De modo que había ido a trabajar para ella por tres meses, para ver los modos y las costumbres de los cristianos. A continuación quería ir a trabajar para el jeque Alí, a fin de estudiar los modos y las costumbres de los musulmanes. Luego decidiría. Karen Blixen escribió en su novela que hasta un obispo habría dicho, como dijo ella: 'Por Dios, Kitau, me podrías haber dicho eso cuando llegaste aquí.'[5]

En contraste, Jennifer Rees Larcombe escribió acerca de su padre, el evangelista y orador Tom Rees: "Puedo decir con franqueza que mi padre era exactamente la misma persona cuando estaba con su familia ('fuera de horario de trabajo') como cuando estaba rodeado de las multitudes que lo admiraban. Me mostró, en lugar de enseñarme con palabras, que la integridad es lo que importa si uno quiere conocer a Dios íntimamente."[6]

15 Vivir con autenticidad

Como periodista, Martin Bell cubrió algunos relatos de guerra, sumamente exigentes. Reflexionando sobre los cambios en el periodismo en el curso de los últimos treinta años, sugiere que 'estamos ingresando en el territorio de lo inauténtico'. Sostiene que vivimos en una era en la que todo gira velozmente, una era de 'noticias virtuales', en la que es posible mantener una exitosa carrera como 'corresponsal extranjero virtual sin viajar muy lejos, ni hacer gran cosa, ni correr ningún riesgo'. Relata sobre algunos periodistas en Saigón que 'confiaban en valientes camarógrafos vietnamitas para cubrir los metrajes de filmación de los combates, en tanto que para las actuaciones complementarias ante cámaras no se aventuraban más allá del follaje de la jungla de los jardines botánicos de la ciudad'.[1]

La película de Steven Spielberg *Catch Me if You Can* (Atrápame si puedes) se basaba en la historia real del timador norteamericano que embolsó 2,5 millones dólares en la década de 1960 falsificando cheques y adoptando una variedad de hábiles disfraces. El subtítulo de la película era 'la verdadera historia de una farsa verídica'. Más recientemente en el Reino Unido, Youssef Babbou, haciéndose pasar diversamente como compañero de Bill Clinton en golf, como dueño de una cadena de casinos de Las Vegas y como inventor de una parte del transbordador espacial, logró mantener un estilo de vida licencioso basado en tarjetas de crédito fraudulentas. En el juicio, la defensa argumentó que comenzó con las estafas para cubrir los costos médicos de la operación cardíaca de su hija, pero el juez no se conmovió, y recomendó que fuera deportado al final de su sentencia de doce años.

No es necesario que veamos los ejemplos extremos solamente. Yo vivo en una parte del mundo donde el cultivar la imagen adecuada se ha transformado en una forma de arte. El norte de Oxford es lugar de residencia de académicos, de magnates de los medios, de ejecutivos empresarios y otros personajes de alto vuelo. Abundan los bares sofisticados donde se sirven bebidas alcohólicas. La educación está al tope de la agenda. Lo relativo a la vivienda, la ropa, los niños, todo tiene un aire de cuidad de sofisticación. Sin embargo, cuando están dispuestas a reconocerlo, la mayor parte de las personas están hambrientas por descubrir lo que es verdadero. En un mundo donde todo gira velozmente, buscamos algo genuino. En un mundo de experiencia virtual, queremos lo real. En un mundo de imágenes, queremos sustancia.

Cultivar la imagen adecuada se ha transformado en una forma de ser.

Un gran beneficio de experimentar debilidad es que nos ayuda a ver lo que es real. Es una invitación a despertar. Ya hemos visto que 2 Corintios 4 está en el centro de la carta de Pablo y constituye una profunda expresión de la verdadera naturaleza de la fe cristiana. En contraste con el evangelio falso y barato de los que en Corinto prometían salud y riquezas para todos, Pablo demuestra que el cristianismo hace una diferencia, no en las circunstancias que nos rodea, sino en nuestros recursos interiores. Nos permite reconocer lo que es real. En los últimos tres versículos de 2 Corintios 4, nos muestra cómo vivir auténticamente.

> Por tanto, no nos desanimamos. Al contrario, aunque por fuera nos vamos desgastando, por dentro nos vamos renovando día tras día. Pues los sufrimientos ligeros y efímeros que ahora padecemos producen una gloria eterna que vale muchísimo más que todo sufrimiento. Así que no nos fijamos en lo visible sino en lo invisible, ya que lo que se ve es pasajero, mientras que lo que no se ve es eterno.
>
> 2 Corintios 4.16–18

Pablo ofrece tres conjuntos de contrastes que nos ayudan a identificar lo que realmente importa.

Declinación exterior y renovación interior

Casi no necesitamos que se nos recuerde que nuestros cuerpos van decayendo, que 'por fuera nos vamos desgastando' (4.16). A pesar de nuestros mejores esfuerzos, la tendencia es irreversible. Podemos probar el *jogging*, la aeróbica, el mantener la línea, o el teñido del cabello, pero no podemos detener el deterioro. Pronto llegamos a la mediana edad, cuando la mente amplia y la cintura angosta intercambian sus lugares. Y si bien en algunos países, como el Reino Unido, el segmento de crecimiento más rápido de la población es el de los más ancianos (que superan los 100), es imposible detener la constante declinación. Algún día volveremos al polvo.

Un profesor de física de Nueva York ha escrito así:

> La búsqueda de la eterna juventud … está con nosotros incluso hoy. La generación que corresponde a la explosión de nacimientos después de la guerra mundial, con su particular énfasis en la eterna juventud, parece decidida a no rendirse al Padre Tiempo, y ha destinado 40 millones de dólares para alimentar la manía actual del ejercicio y la dieta. Cualquiera que se haya mirado en un espejo y haya observado la inexorable multiplicación de arrugas,

> la piel que cuelga, y el cabello encanecido añora en algún momento esa eterna juventud ... Por rico, poderoso, deslumbrante o influyente que uno sea, enfrentar el envejecimiento es enfrentar la realidad de nuestra condición mortal.[2]

Tal vez por primera vez Pablo había comenzado a enfrentar su propia mortalidad. Ya hemos visto que con frecuencia había estado al borde de la muerte a causa de su obra misionera, y habiendo experimentado las presiones que esta carta cataloga, quizás estaba comenzando a llegar a la conclusión de que iba a morir antes del regreso de Cristo. Había llevado en su cuerpo la muerte de Jesús. Se sentía vulnerable y frágil. De modo que esto lo impulsa a enfatizar el poder renovador de Dios al que ya se había referido. En contraste con el deterioro que sentía exteriormente, el Pablo real estaba siendo renovado día a día (4.16).

Es importante recordar que los cristianos vivimos en dos dimensiones a la vez. Lo que Pablo describe no es dualismo, una dicotomía de cuerpo y alma. Lo que hace es ayudarnos a ver que nuestra vida está en la superposición de dos mundos. Nuestra vida exterior forma parte de la mortalidad del mundo que nos rodea. Vivimos en este mundo y somos vulnerables al dolor y a las dificultades como cualquier otra persona. Pero interiormente participamos del mundo por venir, el mundo del cielo, el mundo de la gloria. Hemos nacido de nuevo interiormente por obra del Espíritu de Dios. Nuestra vida interior, nuestra vida en unión con Cristo, puede mantenerse fresca y aumentar en poder y vitalidad. De hecho, Pablo continúa con el tema de la debilidad y el poder. Mientras vamos envejeciendo, nuestra fragilidad puede ser ocasión para una renovación interior mediante el poder de Dios.

Este contraste se ve con frecuencia en la gente mayor. Al volvernos más viejos a veces podemos volvernos agrios y amargados, pensando solo en cuestiones egoístas a medida que se nos van achicando los horizontes. Cuando era estudiante, todas las semanas visitaba a un cristiano de ochenta años. Vivía solo, y me expresaba su gratitud por mi amistad. Pero en realidad era yo el que se beneficiaba por la relación, porque escuchar la descripción de su fe cristiana, su esperanza en cuanto al cielo y sus oraciones por la obra de Dios en todo el mundo me resultaba conmovedor y sumamente alentador. Su declinación exterior era algo obvio; pero su renovación interior era un rasgo notable del verdadero señor Perriam. Él creía en la resurrección y anhelaba estar en el cielo. Para la mayoría de los observadores externos, este hombre vivía una existencia cada vez más restringida. Pero en realidad se trataba de una vida verdaderamente auténtica. Él sabía que era lo real.

La renovación interior que describe Pablo no es automática, y el versículo da a entender que es preciso que la busquemos día a día. Es necesario que dediquemos por lo menos tanta atención a nuestra vida interior como la que dedicamos a nuestro cuerpo y a nuestra apariencia exterior.

Padecimientos presentes y gloria futura

Con lo que podríamos considerar como subestimación, Pablo describe sus sufrimientos como 'ligeros y efímeros' (4.17). Ya hemos visto que sus sufrimientos fueron reales, dolorosos y diversos. Pero el sufrimiento cristiano, por más opresivo que sea, es únicamente para la vida actual y, comparándolo con la gloria eterna, Pablo sostiene que es insignificante. Lo que hace es algo más que contrastar el sufrimiento presente con la gloria futura. Expresa que el sufrimiento 'produce' algo a favor del futuro. Esto tiene que vincularse con el versículo 18, donde nos dice que nuestros sufrimientos nos alientan a mantener la perspectiva eterna y a orientar la mirada, las ambiciones, los esfuerzos, hacia las cosas que durarán para siempre.

Cuando iba a la escuela participé en varios trabajos de campo como parte de mis estudios en geografía física. En una ocasión tuvimos que escalar una montaña en Gales, llamada Cader Idris. Escalar montañas no es una de mis vocaciones. Hacerlo requirió un esfuerzo agotador, mientras subíamos una cuesta tras otra. Pero el que dirigía la excursión mantenía nuestro entusiasmo diciéndonos que miráramos la cumbre con frecuencia, y que mantuviéramos los ojos puestos en el destino. Eso resultaba inspirador, y ponía los inconvenientes y las incomodidades de la ascensión en la debida perspectiva. Pablo a menudo hace una relación entre el sufrimiento y la gloria. Forma parte del tema del que ya se ha ocupado: debido a nuestra unión con Cristo, experimentamos el sufrimiento como gloria.

Pablo describe sus sufrimientos como 'ligeros' y esfímeros' (2 Corintios 4.17).

En el capítulo 10, al describir la debilidad y el poder de Dios, vimos que los padecimientos constituyen una consecuencia ineludible de nuestra comunión con Cristo. De la misma manera, nuestra unión con Cristo significa que tenemos la garantía de un hogar en el cielo, una gloria eterna que 'vale muchísimo más' que nuestras aflicciones (4.17). Pablo ya había escrito antes sobre las presiones a las que estaba sometido. 'Estábamos tan agobiados bajo tanta presión, que hasta perdimos la esperanza de salir con vida' (1.8). Pero desde la perspectiva de la eternidad, tales aflicciones eran 'ligeras'. Pronto Pablo habrá de experimentar el 'peso' de la gloria de Dios. Sus aflicciones son 'momentáneas'; su experiencia de la gloria será 'eterna'.

Es justamente esta perspectiva la que nos mueve a vivir una vida auténtica. Porque nos pone en contacto con el mundo real, no con el mundo que va pasando. Este modo de pensar y de vivir nos hará más auténticamente humanos, no menos. Tom Wright tiene una ilustración muy apropiada. "A veces hablamos sobre alguien que ha estado enfermo como 'una sombra de lo que era anteriormente'. Pero lo que Pablo quizás quería decir era que los seres humanos no son más que una sombra de lo que serán en el *futuro* ...Todo lo que los humanos, en sus mejores y más sinceros momentos, se esfuerzan por conseguir, luchan por alcanzar, anhelan y sueñan, finalmente se cumplirá."[3]

Lo que se ve y lo que no se ve

> Así que no nos fijamos en lo visible sino en lo invisible, ya que lo que se ve es pasajero, mientras que lo que no se ve es eterno.
>
> 2 Corintios 4.18

Robert Green escribe: 'Todo se juzga por su apariencia; lo que no se ve no cuenta para nada. Nunca te permitas, entonces, andar perdido en la multitud, o enterrado en el anonimato. Destácate. Sé diferente, a toda costa. Conviértete en un imán de atención mediante el recurso de mostrarte más grande, más colorido, más misterioso que las masas informes y timoratas.'[4]

Nuestro mundo pone gran énfasis en los tesoros en la tierra más que en los tesoros en el cielo, y a los cristianos no les resulta fácil pensar de manera diferente. Para muchas de las personas que nos rodean, la filosofía que prevalece es 'comer, beber y mirar la tele, porque mañana estaremos de dieta'. Lo único que les preocupa es maximizar la experiencia del momento. Por lo que hace a la mayoría de nuestros contemporáneos, la rígida sonrisa de la calavera se burla de todas las religiones. Esta vida es todo lo que hay. De modo que ahora es el momento de acumular, ahora es el momento de disfrutar. Para que los cristianos piensen de otro modo hace falta un radical cambio de perspectiva. Esto sólo es posible en tanto fijemos los ojos no en lo que se ve, sino en lo que no se ve (4.18).

Pablo sostiene que esta es la perspectiva que les faltaba a los corintios. A una Corinto a la que le preocupaba la figuración, Pablo tuvo que llamarla a cambiar de punto de vista, a adquirir la perspectiva de la fe.

- 'Ustedes se fijan en las apariencias' (10.7, NVI lectura alternativa, nota al pie de página).
- 'Vivimos por fe, no por vista' (5.7).

- 'Para que tengan con qué responder a los que se dejan llevar por las apariencias y no por lo que hay en el corazón' (5.12).

En las bienaventuranzas, Jesús explicó que sus valores no eran los de este mundo. Se había metido en la vidriera de la vida y había cambiado las etiquetas de los precios, de modo que las cosas que antes eran de gran valor ahora eran de poco valor, y aquellas que tenían poco valor ahora tenían gran valor. El aprender a valorar lo invisible, lo eterno, es parte de nuestro discipulado cristiano, y Pablo explica que los problemas nos ayudarán a hacerlo. Las dificultades nos ayudan a ver que este mundo, y nuestro cuerpo físico, van decayendo como resultado del pecado, y que lo que realmente importa es la renovación interior y la gloria eterna.

Se trata, por cierto, de una paradoja: mirar lo que no se puede ver. Una vez más es preciso tener cuidado de evitar cualquier sugerencia de que Pablo está contrastando lo físico con lo espiritual, como si estuviera esperando ser liberado del cuerpo material malo para disfrutar de la libertad de flotar en una nube. Por cierto que no; el contraste es entre el presente y el futuro, porque el apóstol deja en claro en el capítulo siguiente que un día esta 'tienda' será remplazada por 'un edificio, una casa eterna en el cielo' (5.1–5). La enseñanza de Pablo sobre la resurrección apunta al hecho de que nuestro futuro cuerpo no estará sujeto a la corrupción ni al deterioro. Así como nuestro cuerpo se desgasta en el presente, lo mismo vale también para el orden creado. Algún día disfrutaremos de la verdadera existencia para la que Dios nos está preparando. Este mundo actual es una sombra; el mundo real es aquel hacia el cual nos encaminamos.

Según la evaluación de este mundo, Pablo era un fracaso. Tenía por delante una carrera brillante, pero se convirtió a Cristo; y en Filipenses nos dice que ahora estimaba aquellas cosas como de poco valor. A los ojos humanos, todo su trabajo, sus padecimientos, sus viajes y sus aflicciones habrán parecido absurdos.

Pero la evaluación que hacía Pablo era diferente; él se valía de otro sistema de cálculo. Así debería ser para nosotros también. Es posible que conozcamos a algunos cristianos que no tienen el tipo de trabajo que anhelaban, porque ahora siguen a Cristo; o el cónyuge con el que hubieran querido casarse; o los recursos materiales que quizás tienen sus pares. Pero tienen un sistema de valores diferente. Saben que un día experimentarán algo que hará que todas las cosas que este mundo considera valiosas se vean totalmente carentes de valor.

El mundo real es aquel hacia el cual nos encaminamos.

Graham Staines era un misionero australiano que trabajaba entre enfermos de lepra y pueblos tribales en Orissa, en el norte de la India. El 22 de enero de 1999 fue brutalmente asesinado frente al templo de la iglesia, con sus dos hijos. Cristianos y no cristianos se indignaron en todo el mundo ante semejante atrocidad. Pero su dolorida viuda, Gladys Staines, dijo a un reportero al día siguiente: 'Estoy profundamente afectada, pero no estoy enojada, porque Jesús nos ha enseñado cómo amar a nuestros enemigos.' Ella eligió quedarse y continuar la obra de su esposo, y sufrir gozosamente al servir a Cristo. Sus palabras fueron transcriptas por los periódicos en toda la India y más allá de sus fronteras. Como resultado, cientos, quizás miles de hindúes se acercaron a los cristianos a pedir Biblias para leer, y muchos preguntaron '¿Por qué son diferentes ustedes los cristianos?'

¿Cómo podríamos evaluar semejante tragedia? ¿Son vidas desperdiciadas? ¿Es una inversión estúpida? Mi amigo Vinoth Ramachandra, que trabaja en el Asia del Sur, dijo no mucho tiempo después de este hecho que no podía dejar de sentir que una viuda australiana de edad madura había hecho más por la causa del evangelio en la India que todos los evangelistas con mucha labia y los canales de 24 horas que actualmente transmiten en el país.

Pablo demostró que el poder del evangelio se ve a través de la debilidad del Jesús crucificado y a través de la fragilidad de sus seguidores. A la luz de la muerte y la resurrección de Cristo, y de nuestra unión con él, nuestra vida ha sido transformada. Vivimos con la expectativa de la eternidad. Fijamos los ojos:

- en la renovación interior, no en la declinación exterior;
- en la gloria futura, no en las aflicciones presentes;
- en la invisibles realidades de nuestro futuro hogar, no en el brillo transitorio de este mundo.

Tener esta perspectiva es, en verdad, vivir con autenticidad.

Ahora, tu turno...
Cuida tu corazón y tu mente

- ¿Cuáles son las circunstancias específicas que producen frustración o ejercen presiones en tu vida, y de qué manera puedes acercarlas más conscientemente a la presencia de Dios y colocarlas bajo su soberano cuidado?

- En nuestra cultura hay muchas cosas que nos contaminan como creyentes cristianos, y para la mayoría de nosotros esto incluye la invasiva influencia de actitudes y comportamientos sexuales liberales. ¿Cómo puedes cuidar tu corazón y tu mente, y mantenerte fiel a Dios ante las presiones particulares que enfrentas?

- El llamado al carácter distintivo cristiano no es un llamado a retirarnos del mundo donde Dios nos ha colocado. ¿En qué áreas de la vida se hará más evidente tu condición como un cristiano que es sal en el mundo?

- ¿De qué maneras parecería a veces que tu servicio cristiano tiene más que ver con la apariencia que con la sustancia?

- ¿Cuáles son las cosas invisibles que te motivan a vivir a la luz de la eternidad?

Epílogo

> Yo soy el Dios Todopoderoso. Vive en mi presencia y sé intachable.
>
> Génesis 17.1

En su ensayo titulado 'God and Me' ('Dios y yo'), A. L. Kennedy se refiere a 'esa ambigua sensación de ser observado, de que hay una presencia indefinible, muy cerca detrás, de ti con algo en mente desconcertante'.[1] En el capítulo 1 consideramos el llamado del Señor a Abram, a que anduviera con integridad bajo la mirada atenta de Dios. A lo largo de este libro hemos visto que Pablo pudo afirmar repetidamente que cada área de su servicio cristiano se llevaba a cabo en la presencia de Dios, con Dios como su testigo. Su vida fue vivida bajo la mirada de Dios.

Hay una posibilidad, insinuada por A. L. Kennedy, de que la sensación de la presencia del Dios que todo lo ve podría inducirnos temor o paralización. Por cierto que hemos visto que liderar mientras Dios nos está observando, nos alienta a no pasar por alto nuestras obligaciones morales, a no vivir al acaso o descuidadamente, sino a andar de un modo digno del Dios que nos ha llamado. Pero tal vez no deberíamos concluir este libro sin recordar que, a los que somos pecadores perdonados, la presencia del Señor no nos evoca temor sino consuelo, no produce vergüenza apabullante sino gozo liberador, no provoca parálisis sino servicio activo.

Uno de los privilegios maravillosos de ser sus muy amados hijos es que su presencia nos acompaña y nos sostiene a lo largo de nuestro viaje. Por medio de su Espíritu, Dios está con nosotros, al lado de nosotros, proporcionándonos poder, guiándonos y consolándonos.

Es necesario que recibamos con toda su simplicidad, por cuanto el llamado bíblico a la integridad es un desafío exigente, y quizás hayamos llegado al final de este libro con una conciencia aguda de nuestra necesidad de la gracia de Dios. Alentémonos unos a otros con este pensamiento profundo: *Dios está con nosotros.* El Dios que ve es el Dios que cuida y provee, el Dios que sostiene y que da poder.

David era un hombre de integridad, pero conocía tanto el fracaso como el perdón. En medio de un agradecido testimonio sobre la gracia perdonadora de Dios, el Señor le habla a David con las siguientes palabras: 'Yo te instruiré, yo te mostraré el camino que debes seguir; yo te daré consejos y velaré por ti' (Salmos 32.8). A través de los siglos, el pueblo de Dios ha tomado esta promesa como propia. Él es el Dios que *vela por nosotros.* Si alguna vez has visto a un niño cuando da sus primeros pasos, puedes haber notado el comportamiento de los padres. Están junto al pequeño, observando cuidadosamente, listos para sostenerlo, guiándolo y protegiéndolo. Igual que David, sabemos que el Señor está con nosotros, guiándonos y enseñándonos, con los ojos puestos en nosotros. Cuando Moisés acudió a Dios en busca de su ayuda y su dirección, el Señor contestó: 'Yo mismo iré contigo y te daré descanso.' Esa es la seguridad que todo discípulo experimenta.

Dios está observando, pero no es un observador neutral. Su mirada está sobre nosotros y sus brazos nos rodean. Su Espíritu está a nuestro lado y dentro de nosotros, dándonos poder y transformándonos.

C. S. Lewis escribió acerca de esto hace muchos años en su clásico libro *Mere Christianity* (*Cristianismo… ¡y nada más!*).

> Ya ves lo que está sucediendo. Cristo mismo, el Hijo de Dios que es hombre (tal como nosotros) y es Dios (tal como su Padre), se halla en realidad de parte tuya y en ese mismo momento está empezando a convertir simulación en realidad. … El verdadero Hijo de Dios se halla a nuestro lado. Está empezando a convertirnos en la misma clase de ser que Él es. Está empezando, por decirlo así, a 'inyectarnos' su clase de vida y pensamiento. [2]

En cuanto a Pablo, las palabras finales de su vida (el último párrafo de sus escritos apostólicos) fueron dedicadas precisamente a esta verdad. En Roma, ante su inminente ejecución, con frío, vulnerable y sin apoyo humano, escribe así: 'Pero el Señor estuvo a mi lado y me dio fuerzas' (2 Timoteo 4.17). Pablo lo había experimentado a lo largo de su vida. Había llevado a cabo su ministerio a la mirada de Dios, liderando mientras Dios lo observaba, sirviendo 'delante de Dios'. Pero eso significaba para él contar con la presencia de Dios que le dio sostén y energía hasta el final de su vida, y aun en ese momento extremo, como hombre de edad avanzada y en un calabozo oscuro. El Señor estuvo con él y lo fortaleció.

Liderar mientras Dios observa significa servir con un Dios que provee.

Las formas en que lo hace son sumamente variadas. He aquí algunas de las maneras en que recibimos su provisión, que nos capacita para vivir con integridad. Es un control final, y te invito a preguntarte si estás realmente contando con estos recursos.

- *Recuerda el llamado de Dios*: estamos en condiciones de enfrentar los altibajos del servicio cristiano cuando estamos seguros de quién es el que nos ha llamado, y qué es lo que nos ha llamado a hacer. Hemos visto que, por la misericordia de Dios, él nos prepara para el servicio y nos invita a caminar de un modo que sea digno de ese sagrado llamado.

- *Practica la presencia de Dios*: nuestro llamado consiste en caminar intachablemente delante de él. Tener conciencia de la mirada atenta de Dios y de su presencia sustentadora es fundamental para una vida de integridad. Nutrir nuestra comunión con él, practicar su presencia y saber que el Espíritu nos da poder son todos ingredientes necesarios para vivir cada día con integridad.

- *Recibe la Palabra de Dios*: la verdad de la Escritura nos hace libres, permitiendo que vivamos como corresponde en cada área de la vida. Dedicarnos a estudiar, aplicar y vivir la verdad es la única receta para cultivar una mente renovada y un comportamiento transformado.

- *Confía en el pueblo de Dios*: la integridad se nutre en la comunidad cristiana, y muy particularmente a través de relaciones de apoyo y responsabilidad. Contar con un pequeño grupo de amigos que pueda ayudarnos de esta manera actúa como vital apoyo en el viaje.

- *Descansa en la gracia de Dios*: como nos lo recuerda Santiago, todos tropezamos de muchas maneras, pero nuestro llamado a caminar intachablemente aparece en el contexto de la obra de Dios en Jesucristo. No es por nuestros mejores esfuerzos, porque nuestra justificación es solo por fe, solamente en Cristo, y solo mediante la gracia. En toda situación de presión podemos experimentar la realidad de la sobreabundante gracia de nuestro Señor derramada sobre nosotros, junto con la fe y el amor en Cristo Jesús (1 Timoteo 1.14).

Dado que mediante la gracia de Dios tenemos este ministerio, 'no nos desanimamos' (2 Corintios 4.1). No debiéramos cansarnos nunca de hacer el bien (2 Tesalonicenses 3.13). Servimos en presencia del Señor que nos dice, 'Te basta con mi gracia, pues mi poder se perfecciona en la debilidad' (2 Corintios 12.9). Y con todo el pueblo de Dios adoptamos las palabras finales de aliento que Pablo les dirige a los corintios: 'Que la gracia del Señor Jesucristo, el amor de Dios y la comunión del Espíritu Santo sean con todos ustedes' (2 Corintios 13.14).

Bibliografía del autor

Paul Barnett: *The Second Epistle to the Corinthians*, The New International Commentary in the New Testament, Eerdmans, 1997.

Paul Barnett: *The Message of 2 Corinthians*, The Bible Speaks Today, IVP, 1988.

Donald A. Carson: *From Triumphalism to Maturity*, Baker, 1984 [Hay trad. al cast.].

Roy Clements: *The Strength of Weakness*, Christian Focus Publications, 1994.

Scott J. Hafemann: *The NIV Application Commentary*, 2 Corinthians, Zondervan, 2000.

David Prior: *The Suffering and the Glory*, Hodder & Stoughton, 1985.

Michael B. Thompson: *Transforming Grace*, The Bible Reading Fellowship, 1998.

Para seguir leyendo

1001 proverbios para una vida feliz / Haz que tu vida funcione, Bill Hybels, Certeza Unida.

Cuando Dios incomoda, reflexiones bíblicas sobre el testimonio cristiano en la sociedad, Darío López, Ediciones Puma.

Del triunfalismo a la madurez, una nueva exposición de pasajes de 2ª Corintios 10-13, Donald A. Carson, Publicaciones Andamio.

Espiritualidad y liderazgo, Rodolfo A. González, Pablo Martínez, Jaume Llenas, Samuel Escobar, Timoteo Glasscock, Publicaciones Andamio.

El liderazgo de Jesús, principios de una vida exitosa, Jim Coté, Ediciones Puma.

Hombres de Dios, Jorge Atiencia, Certeza Argentina.

La iglesia del nuevo milenio, Pablo Deiros, Certeza Argentina.

Liderazgo y postmodernidad, Jaume Llenas, Publicaciones Andamio.

Liderazgo transformador centrado en principios, Bramwell Osula, Ediciones Puma.

Los desafíos del liderazgo cristiano, John Stott, Certeza Argentina.

Por fin es lunes: ministerio en el lugar de trabajo, Mark Greene, Publicaciones Andamio.

Principios y estilos de liderazgo, Ajith Fernando, Manuel Suárez, Dixon Edward Hoste, Publicaciones Andamio.

Prioridades, Esteban Rodemann, Pablo Martínez Vila, Timoteo Gassscock, Charles E. Hummel, Publicaciones Andamio.

Quiero que seas mi Señor, Jorge Olivares, Certeza Argentina.

Viene David, Lucas Leys, Certeza Argentina.

Notas

Prólogo

1. John Poulton: *A Today Sort of Evangelism*, Lutterworth, 1977, pp. 60–61, 79.

1. Porqué es importante la integridad

1. Donald A. Carson: *Llamamiento a la renovación espiritual*, Publicaciones Andamio.
2. Citado en Bryan Chappell: *Christ-Centred Preaching*, Baker, 2005, p. 209.
3. Richard Higginson: *Transforming Leadership*, SPCK, 1996, p. 53.
4. Margaret Thorsborne: *The Seven Heavenly Virtues of Leadership*, serie Management Today, Australian Institute of Management, 2003.
5. Ver Efesios 4.1; Filipenses 1.27; Colosenses 1.10.
6. Max DePree: *Leadership Jazz*, Doubleday, 1992, pp. 1–3, citado en Walter C. Wright: *Relational Leadership*, Paternoster Press, 2000, pp. 117–118.

2. El perfil de la integridad

1. Ben Lewis: 'Hammer & Tickle', *Prospect*, Mayo 2006.
2. *The Independent*, 29 Mayo 2006.
3. Thorsborne: *Seven Heavenly Virtues.*

3. Verdadera responsabilidad

1. Rosie Millard: *New Statesman*, 13 Febrero 2006.
2. Richard Reeves: "Should the state 'do' God?", *New Statesman*, 10 Abril 2006.
3. Peter Brain: *Going the Distance*, Matthias Media, 2004, p. 119.

4. El servicio a otros

1. Kent & Barbara Hughes: *Liberating Ministry from the Success Syndrome*, Tyndale House Publishers, 1987, p. 48.
2. Ver Judas 12; Ezequiel 34.1–10.
3. John R. W. Stott: *The Message of Acts*, The Bible Speaks Today (IVP, 1990), p. 329. [Hay trad. al cast.: *El mensaje de Hechos*, Ediciones Certeza Unida, p. 393-394].
4. Colin Morris: *The Word and the Words*, Epworth, 1975, pp. 34–35.

5. Las prioridades del evangelio

1. John Pilger: 'The real first casualty of war', *New Statesman*, 24 de abril 2006.
2. Ajith Fernando: *Jesus Driven Ministry*, IVP, 2002.

7. La edificación de la comunidad

1. Ver Romanos 1.11–12; 14.19; 1 Corintios 14.3–5, 12, 17; Efesios 4.12–13.
2. Daniel Goleman: *The New Leaders*, Little, Brown, 2002, p. 47.
3. Clive Mather: Conferencia, Londres, 17 de octubre 2004.
4. La referencia de Pablo en este versículo podría estar intencionalmente dirigida a los falsos maestros que procuraban que 'los pensamientos de ustedes sean desviados de un compromiso puro y sincero con Cristo' (11.3). Paul Barnett: '2 Corinthians', *The New International Commentary on the New Testament*, Eerdmans, 1997, p. 360.
5. Max DePree: *Leadership is an Art*, Dell Publishing, 1989, p. 11.
6. Brain: *Going the Distance*, p. 145.
7. *The Times*, 8 de abril 2006.

8. Confrontar el pecado

1. Paul Beasley-Murray: *A Call to Excellence*, Hodder & Stoughton, 1995, p. 56.
2. Ben Witherington III: *Conflict and Community in Corinth*, Eerdmans, 1995, p. 328.
3. Citado en Brain: *Going the Distance*, p. 83.
4. Tom Wright: *Paul for Everyone, 2 Corinthians*, SPCK, 2003, pp. 18–19.
5. Issiaka Coulbalu: *Africa Bible Commentary*, Word Alive/Zondervan, 2006.
6. Brain: *Going the Distance*, p. 95.
7. Walter Wright: *Relational Leadership*, Paternoster Press, 2000, p. 202.
8. Michael Griffiths: *Discovering 1 and 2 Timothy*, Crossway Bible Guide, Crossway, 1996, p. 215.

9. El manejo del dinero

1. F. F. Bruce: *The Pauline Circle*, Paternoster Press, 1985, pp. 39, 62, 63.

10. Debilidad y poder

1. John R. W. Stott: *Calling Christian Leaders*, IVP, 2002, p. 58.
2. David Smith: *Against the Stream*, IVP, 2003, p. 92.
3. Mi lectura de los Cánticos del Siervo se vio beneficiada por el comentario de Isaías escrito por Derek Thomas: *God Delivers*, Welwyn Commentaries, Evangelical Press, 1991.
4. Tom Wright: *Reflecting the Glory*, The Bible Reading Fellowship, 1997, p. 36.
5. Robert Greene: *The 48 Laws of Power*, Profile Books, 2002, p. 2.

11. El estatus y la verdadera ambición

1. Gordon MacDonald: *Restoring Your Spiritual Passion*, Highland Books, 1987, pp. 98–99.

2. Alain de Botton: *Status Anxiety*, Penguin, 2005, pp. 3–4.
3. Jo Owen: *How to Lead*, Pearson Education, 2005, p. 192.
4. Eugene Peterson: *The Gift, Reflections on Christian Ministry*, Marshall Pickering, 1995, p. 17.
5. Estos versículos son un verdadero desafío, y estoy en deuda con varios comentaristas, entre ellos Scott Hafeman, *2 Corinthians*, NIV Application Commentary, Zondervan, 2000.
6. J. I. Packer: *A Passion for Faithfulness*, Hodder & Stoughton, 1995, p. 209.

12. El orgullo y el llamado a la humildad

1. Eugene Peterson: *Under the Unpredictable Plant*, Eerdmans, 1992, p. 113.
2. Ver Gálatas 4.13–15; 6.11.
3. Helmut Thielicke: *The Prayer that Spans the World*, James Clarke, 1960, p. 28.
4. Michael Ramsay: *The Christian Priest Today*, SPCK, 1985, citado en Beasley-Murray: *A Call to Excellence*, p. 213.

14. Vivir de manera coherente

1. Dallas Willard: *Renueva tu corazón*, CLIE, 2004.
2. John White: *The Fight*, IVP, 1977, p. 179. [Hay trad. al cast.: *La lucha*, Certeza Argentina].
3. Donald McCullough: *The Trivialization of God*, Navpress, 1995, pp. 14–18, citado en Peter Lewis: *The Message of the Living God*, IVP, 2000, pp. 320–321.
4. David Day: *Jeremias, portavoz de Dios en tiempos de crisis*, Publicaciones Andamio, 2002.
5. Karen Blixen: *Out of Africa*, Penguin, 1954, reimpreso en 1984, p. 47.
6. Jennifer Rees Larcombe: *Journey into God's Heart*, Hodder & Stoughton, 2006, p. 29.

15. Vivir con autenticidad

1. Martin Bell: *The Gates of Fire*, Phoenix, 2003, p. 183.
2. Profesor Kaku: *Visions*, OUP, 1998, pp. 200–201.
3. Wright: *Reflecting the Glory*, pp. 41–42.
4. Green: 'Law 6, Court attention at all costs', *The 48 Laws of Power*, p. 21.

Epílogo

1. A. L. Kennedy: 'God and Me', *Granta*, vol. 93, Primavera de 2006, p. 82.
2. C. S. Lewis: *Mere Christianity*, Collins, 1952, p. 158. [Hay trad. al cast., *Cristianismo… ¡y nada más!*, Caribe., pp. 181-182].

Editoriales de la Comunidad Internacional de Estudiantes Evangélicos (CIEE) apoyan esta publicación de Certeza Unida:

Certeza Argentina, Bernardo de Irigoyen 654, (C1072AAN) Ciudad Autónoma de Buenos Aires, Argentina. *certeza@certezaargentina.com.ar*

Ediciones Puma, Av. Arnaldo Márquez 855, Jesús María, Lima, Perú. Teléfono / Fax 4232772. puma@cenip.org

Editorial Lámpara, Calle Almirante Grau Nº 464, San Pedro, Casilla 8924, La Paz, Bolivia. *coorlamp@entelnet.bo*

Publicaciones Andamio, Alts Forns 68, Sótano 1, 08038, Barcelona, España. *editorial@publicacionesandamio.com* *www.publicacionesandamio.com*

A la CIEE la componen los siguientes movimientos nacionales:

Asociación Bíblica Universitaria Argentina (ABUA)
Comunidad Cristiana Universitaria, Bolivia (CCU)
Aliança Bíblica Universitária do Brasil (ABUB)
Grupo Bíblico Universitario de Chile (GBUCH)
Unidad Cristiana Universitaria, Colombia (UCU)
Estudiantes Cristianos Unidos, Costa Rica (ECU)
Grupo de Estudiantes y Profesionales Evangélicos Koinonía, Cuba
Comunidad de Estudiantes Cristianos del Ecuador (CECE)
Movimiento Universitario Cristiano , El Salvador (MUC)
Grupo Evangélico Universitario, Guatemala (GEU)
Comunidad Cristiana Universitaria de Honduras (CCUH)
Compañerismo Estudiantil Asociación Civil, México (COMPA)
Comunidad de Estudiantes Cristianos de Nicaragua (CECNIC)
Comunidad de Estudiantes Cristianos, Panamá (CEC)
Grupo Bíblico Universitario del Paraguay (GBUP)
Asociación de Grupos Evangélicos Universitarios del Perú (AGEUP)
Asociación Bíblica Universitaria de Puerto Rico (ABU)

Asociación Dominicana de Estudiantes Evangélicos (ADEE)
Comunidad Bíblica Universitaria del Uruguay (CBUU)
Movimiento Universitario Evangélico Venezolano (MUEVE)

Oficina Regional de la CIEE: c/o ABUB, Caixa Postal 2216, 01060-970 São Paulo, SP, Brasil.
cieeal@cieeal.org | secregional@cieeal.org | www.cieeal.org

Esta edición se terminó de imprimir
en Editorial Buena Semilla,
Carrera 31, Nº 64 A-34, Bogotá, Colombia,
en el mes de septiembre de 2010.